Otras series publicadas

ESA HORRIBLE HISTORIA

ESOS FABULOSOS EEUU

TERRY DEARY
ILUSTRADO POR MARTIN BROWN

EDITORIAL MOLINO

ESA HORRIBLE HISTORIA

Título original: *The USA*
Publicado por primera vez en el Reino Unido
por Scholastic Publications Ltd. en 2001
Traducción: Josefina Caball Guerrero
Copyright del texto © Terry Deary, 2001
Copyright de las ilustraciones © Martin Brown, 2001

Copyright © EDITORIAL MOLINO 2001
de la edición en lengua castellana

Publicado en lengua castellana por
EDITORIAL MOLINO
Calabria 166, 08015 Barcelona
Dep. legal: B. 38.568/2001
ISBN 84-272-2043-X

Impreso en España   Printed in Spain

LIMPERGRAF, S. L. — Mogoda, 29-31 — Barberà del Vallès (Barcelona)

SUMARIO

*Para Andrew Amies-Rudd, entusiasta de «Esa horrible historia»,
un muchacho de gran corazón y una fuente de inspiración.*

INTRODUCCIÓN

A veces la historia es horrible y la de algunos lugares es aún más espantosa como, por ejemplo, la de los Estados Unidos de América.

El vicepresidente de EEUU, Al Gore, en octubre de 2000, dijo:

En efecto, cometimos algunos errores en el pasado, pero, como me llamo Al, nuestro país es el más grande de la faz de la Tierra: ¡Siempre lo ha sido y siempre lo será!

¡Qué modesto, ese Al! Muchos norteamericanos lo CREYERON y estuvieron a punto de convertirlo en el 43º presidente.

Dado que éste es un libro de «Esa horrible historia», vamos a echar un vistazo a esos pequeños «errores» que EEUU cometió en el pasado.

Esta fabulosa nación nos ha brindado los placeres de:

CIERTAS BEBIDAS EFERVESCENTES MUY POPULARES QUE TE DESTROZAN LOS DIENTES CINCUENTA VECES MÁS RÁPIDAMENTE QUE EL PAPEL DE LIJA.

CIERTAS HAMBURGUESAS MUY POPULARES HECHAS DE CARNE PICADA DE PARTES DE LA VACA QUE JAMÁS TE ATREVERÍAS A COMER EN LA ESCUELA.

¡Y ésas son las cosas buenas de EEUU!

La más grande de las naciones del mundo también ha sido la primera en darnos:

- armamento nuclear con una capacidad de destrucción 50 veces mayor que el del armamento convencional.
- un elevado grado de contaminación que nos va destruyendo poco a poco.

Sin embargo, lo peor son sus libros de historia. Los libros de texto de EEUU contienen mentiras muy gordas sobre los héroes de ese país, como:

Lo que necesitas es un libro de *Esa horrible historia* sobre EEUU que te cuente lo que sucedió *realmente* y, ¡mira por donde!, lo tienes precisamente en tus manos.

ADVERTENCIA PARA LA SALUD DE ESA HORRIBLE HISTORIA: No leas este libro mientras estés tomándote una hamburguesa con coca-cola. A veces lo que aquí contamos es tan truculento y sanguinario, que podrían entrarte ganas de vomitar, y ¡sería una pena que estropearas este libro tan valioso con tus vómitos!

EL DESCUBRIDOR COLÓN

Todo el mundo recuerda esta fecha:

No sería exagerado afirmar que Cristóbal Colón fue lo peor que le pudo suceder al continente americano. No creas el cuento de que fue un explorador que partió dispuesto a demostrar que la Tierra era redonda. En 1492 casi todo el mundo ya lo sabía, pues los barcos desaparecían por el horizonte. No, Colón buscaba otra cosa: hacer fortuna.

Colón y los españoles querían oro, tierras, oro, y más oro; y eso es lo que encontraron. Naturalmente, la tierra y el oro pertenecían a los nativos, la población autóctona, pero a los españoles no les importó. A Colón no le costó nada invadir aquellas tierras; sin embargo, la invasión les salió muy cara a los nativos.

Cronología de Colón

28.000 a.C. Mucho tiempo antes incluso de que naciera tu profesor. Los primeros humanos llegan a Norteamérica, procedentes de Asia.

982 d.C. El vikingo «Erik el Rojo» descubre Groenlandia y, muy probablemente, los vikingos llegan a América.

1492 Cristóbal Colón «descubre» América (aunque su población autóctona ya la conocía desde hacía mucho tiempo.)

1504 El navegante Amerigo Vespucci visita el «Nuevo Mundo». Unas cartas indican que fue él quien descubrió que era un continente. Un cartógrafo cree lo que dicen sus cartas y llama «América» al Nuevo Mundo, en honor a Amerigo. El nombre se populariza.

1587 Isabel I de Inglaterra envía colonos a ocupar tierras en Norteamérica. Ciento catorce de ellos desembarcan en Roanoke (Los 114 desaparecen para siempre.)

Terribles libros de texto

Todo el mundo sabe que Cristóbal Colón fue un italiano que descubrió América para los españoles... ¿o tal vez no era italiano? Éste es tan sólo uno de los datos inciertos sobre el misterioso Cristóbal Colón sobre los que los historiadores no se ponen de acuerdo. Aquí tienes unos cuantos más:

O tal vez en España, o en Portugal, o en Córcega. Nadie se pone de acuerdo. *Esa Horrible Historia* puede afirmar, a ciencia cierta, que Colón *no* nació en los cuatro sitios a la vez.

... o de un acaudalado tejedor. (Depende del libro que leas.)

COLÓN CONSIGUIÓ AUDIENCIA ANTE LOS REYES DE ESPAÑA CON EL FIN DE PEDIRLES BARCOS PARA IR A LA INDIA POR EL OESTE. LOS MONARCAS SE LOS NEGARON Y EL POBRE COLÓN, MUY TRISTE, SE FUE. LUEGO, UN MENSAJERO LO ALCANZÓ, PUES LOS FABULOSOS MONARCAS HABÍAN CAMBIADO DE PARECER.

FERNANDO E ISABEL

... sólo que esto es un cuento de hadas que nunca sucedió.

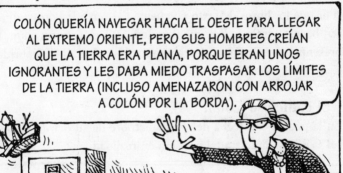

COLÓN QUERÍA NAVEGAR HACIA EL OESTE PARA LLEGAR AL EXTREMO ORIENTE, PERO SUS HOMBRES CREÍAN QUE LA TIERRA ERA PLANA, PORQUE ERAN UNOS IGNORANTES Y LES DABA MIEDO TRASPASAR LOS LÍMITES DE LA TIERRA (INCLUSO AMENAZARON CON ARROJAR A COLÓN POR LA BORDA).

... sólo que nada de esto es cierto.

COLÓN DESEMBARCÓ EN LAS BAHAMAS EL 12 DE OCTUBRE DE 1492, CONVIRTIÉNDOSE EN EL PRIMER EUROPEO EN PONER LOS PIES EN LAS AMÉRICAS.

CUBA   HAITÍ

La fecha y el lugar son ciertos, pero nada más: probablemente, los vikingos habían llegado a América del Norte 500 años antes que él. Cristóbal Colón siempre creyó que había desembarcado en Asia, (conocida con el nombre de «las Indias»), por lo que llamó «indios» a sus pobladores.

11

¡Y un rábano! Murió rico y ostentando el título de «almirante del océano».

El codicioso Cristóbal Colón

¿Por qué los libros de texto no cuentan la verdad? Porque quieren hacerte creer bellos cuentos de hadas. A continuación, te presentamos algunos datos abominables sobre el descubridor Cristóbal Colón.

1 El codicioso Colón

En la página con fecha del 13 de octubre de su diario, Cristóbal Colón se muestra tal cual era en realidad.

> Al amanecer, grandes multitudes de hombres vinieron a la playa. Los escuché con atención para averiguar si tenían oro. Por las señas que hacían, deduje que, si navegaba hacia el sur, encontraría a un rey que tenía copas enormes llenas de oro. Con tan sólo cincuenta hombres podría conquistar a todos esos hombres y someterlos a mi voluntad.

2 El negrero Colón

Cuando Cristóbal Colón regresó a España, se llevó unos viente indígenas. A causa de las terribles condiciones que tuvieron que soportar en las naves, sólo siete de ellos llegaron con vida a España. Fueron suficientes para demostrar a los españoles que aquellos robustos indios serían unos esclavos ideales.

Cristóbal Colón regresó al Nuevo Mundo. Esta vez le acompañaban 1200 soldados armados con rifles, espadas, cañones y sabuesos. Y no fue allí de vacaciones precisamente (Disney World todavía no había sido inventado), sino que fue a buscar más oro.

En 1495, los españoles reunieron 500 indios arawaks en Haití para enviarlos a España y sometieron a otros 500, a quienes obligaron a trabajar para ellos en las islas. La mitad de los esclavos murieron durante el viaje, pero Cristóbal Colón se limitó a encogerse de hombros diciendo:

Aunque ahora mueran, no siempre morirán. ¡Desde aquí podemos enviaros tantos esclavos como queráis!

Pero estaba equivocado. Los trabajos forzados y las nefastas enfermedades acabaron con todos los arawaks.

3 El moderno Cristóbal Colón

Cristóbal Colón implantó la moda de convertir a los indígenas en esclavos. Hacia 1516, habían muerto la mayoría de los arawaks de Haití y tuvieron que buscar mano de obra en otras tierras.

Los esclavos los apretujaban en los navíos como si estuvieran en una lata de sardinas. Los encerraban para impedir que se escaparan y morían asfixiados por el ambiente cargado y abrasador. Pedro Mártir, un historiador español, dijo que no era necesaria una brújula para seguir las rutas de los barcos.

13

> *Lo único que había que hacer era seguir la estela de cadáveres de los indios arrojados por la borda.*

Cuando a los españoles se les terminaron los nativos, tuvieron que buscarlos en África para llevarlos al otro lado del Atlántico y obligarlos a trabajar. El codicioso Cristóbal Colón inició al abominable comercio de esclavos, que duraría unos 400 años.

4 Cristóbal Colón, dueño y señor

Los españoles obligaron a los arawaks a obedecerles. De vez en cuando, enviaban unos cuantos a España en calidad de esclavos. Un español dijo:

> *Cuando fuimos a rodear a los arawaks, había muchas mujeres con sus bebés en brazos. Las mujeres se asustaron tanto que dejaron a los pequeños en el suelo y huyeron.*

Tu mamá no haría una cosa así, ¿verdad?

Los arawaks que huían eran perseguidos y asesinados.

14

¿Qué hacían los españoles con los arawaks muertos?

a) Los cadáveres servían de alimento a los perros de los españoles.

b) Los utilizaban de espantapájaros en los campos.

c) Los echaban al fuego como combustible.

Respuesta: a)

5 El patrono Cristóbal Colón

Cristóbal Colón volvió a Haití en 1493 y entonces obligó a los nativos a trabajar para los españoles. Tenían que cultivar las tierras, buscar oro y cosechar el algodón.

Los nativos no podían negarse y, si alguno de ellos desobedecía, le cortaban la nariz o las orejas. Luego lo enviaban de nuevo a su poblado para que sirviera de escarmiento a los demás.

¡Y tú que creías que los castigos de la escuela eran severos!

6 El récord de Cristóbal Colón

Cristóbal Colón reunió una gran fortuna en oro para los reyes de España y él también se llevó un buen bocado. Puede que no ostente el récord de ser el primer europeo en pisar suelo americano, pero sí ostenta otro récord mucho más nefasto: Cristóbal Colón probablemente fue la persona que envió más esclavos indios a España.

Los arawaks que permanecieron en Haití también fueron reducidos a la esclavitud. El método del codicioso Cristóbal Colón era sencillo:

CADA UNO DE VOSOTROS ME PAGARÁ EN ORO, ALGODÓN O COMIDA. ME PAGARÉIS CADA TRES MESES. A CAMBIO, OS DARÉ UN DISCO DE COBRE QUE LLEVARÉIS COLGADO DEL CUELLO. A CUALQUIER HOMBRE O MUJER QUE SEA SORPRENDIDO SIN EL DISCO, SE LE CORTARÁ UNA MANO DE INMEDIATO. ¿LO HABÉIS COMPRENDIDO?

Los arawaks tardaban tanto en conseguir un disco de cobre, que ya no les quedaba tiempo para alimentar a sus familia.

Hecho horrible: Los indios pronto se desesperaron tanto, que no podían soportar vivir trabajando para Colón y sus compinches por más tiempo y, en consecuencia, se suicidaban (ahorcándose, envenenándose o arrojándose sobre afiladas estacas de madera.) *Hecho todavía más horrible:* Muchas madres mataban a sus hijos para salvarlos de una vida de miseria.

¿GARROTE O COLÓN?

PREFIERO EL GARROTE, MAMÁ.

7 El guerrero Cristóbal Colón

Cristóbal Colón era un gran guerrero, pero sólo cuando se enfrentaba a gente desprovista de cañones, espadas y caballos.

En 1495, cuando los arawaks quisieron resistir, el guerrero Cristóbal Colón envió soldados armados hasta los dientes para aniquilarlos. El guerrero Cristóbal Colón tenía un hijo de nom-

bre Fernando, que escribió acerca de su ambicioso padre. Dijo
de él que empleó contra los indios un arma todavía más terrible:

Las armas más temibles fueron los veinte sabuesos que despeda-
zaban a los indios en un santiamén. Aquellos animales les arran-
caban los brazos y las piernas, les desgarraban el vientre y per-
seguían a los indios que huían hacia el bosque.

Los indios que eran apresados con vida eran asesinados.

Hecho horrible: En los años posteriores, esos perros fueron uti-
lizados para cazar indios como si se tratara de un deporte, al
igual que hoy en día las personas con la cabeza llena de serrín
van a cazar ciervos.

8 El mentiroso Cristóbal Colón

Cristóbal Colón quería que todos creyeran que había conseguido
lo que se había propuesto: navegar hacia el oeste para llegar
hasta Cipango (Japón), situado en el Extremo Oriente. Para
ello, obligó a sus hombres a hacer un juramento.

Juro por Dios Todopoderoso que hemos desembarcado cerca
de Cipango. ¡Si miento, que me arranquen la lengua de la
cabeza!

Así que no sólo los pobres nativos americanos sufrieron un
trato injusto por parte de Cristóbal Colón.

Último hecho horrible: En 1492, cuando Cristóbal Colón llegó a
las Grandes Antillas, había allí alrededor de dos millones de
arawaks. Sesenta años más tarde no quedaba ninguno.

OTROS CRUELES COLONIZADORES

Después de Cristóbal Colón, lo peor que les sucedió a los nativos americanos fue la llegada de los Padres Peregrinos (y otros colonizadores europeos). Los nuevos colonos se apoderaron de la tierra de los indígenas y, a cambio, sólo les dieron enfermedades y miseria.

Cronología de los crueles colonos

1607 Colonos ingleses fundan Jamestown, Virginia, para empezar una nueva vida (expoliando las tierras de sus riquezas).

1616 Epidemias en suelo virgen. Enfermedades procedentes de Europa, como el sarampión, matan millones de indígenas, reduciéndolos a una décima parte. ¡Esos sí fueron al grano!

1619 Los primeros esclavos africanos son enviados a Norteamérica.

1620 Los Peregrinos huyen de Inglaterra y se establecen en Patuxet, lugar al que llaman Plymouth, porque les recuerda a su amada patria.

Década de 1620 Colonos europeos descubren que Norteamérica es un buen lugar para cultivar tabaco y hacerse rico. A partir de ese momento, será difícil sacarlos de allí.

1664 Los británicos llegan a la colonia holandesa de Nueva Amsterdam, se apoderan de ella y le cambian el nombre por el de Nueva York.

1675 La guerra del rey Philip. El hijo del jefe de la tribu de los wampanoag, apodado rey Philip, se subleva contra los colonos de Nue-

RIQUEZAS
~~PATUXET~~
PLYMOUTH
~~NUEVA AMSTERDAM~~
NUEVA YORK
JAMESTOWN
~~COLONIZADORES~~
LADRONES

¿QUÉ HAY DE MI HOGAR DULCE HOGAR?

EL TABACO ES BUENO PARA EL BOLSILLO

va Inglaterra. Se suceden masacres de colonos y de indios.

1739 Los esclavos negros de Carolina del Sur se sublevan y se van a Florida, entonces española, para ser libres. Matan a 21 blancos que encuentran por el camino, pero los rebeldes son masacrados por un ejército de colonos blancos.

Década de 1750 Los británicos se quedan con el este de Norteamérica, los franceses el centro y los españoles el oeste, un reparto que traerá problemas. En 1754, George Washington se enfrenta a los franceses, lo cual resultará un buen ensayo para más adelante.

1762 España interviene para aplastar a los británicos. ¡Dos contra uno! Un año más tarde, según los términos de un tratado de paz, España se queda con el oeste y Francia con nada. A los indios (aplastados en medio) se les promete que los británicos no irán hacia el oeste para robarles sus tierras. ¡Cualquiera se lo cree!

Los viles virginianos

Mucha gente cree que los Padres Peregrinos fueron los primeros colonizadores crueles procedentes del norte de Europa, pero no lo fueron. Diez años antes se había instalado en Virginia una expedición británica que fue allí para saquear el «nuevo» continente. Aquí tienes varios datos sobre ellos.

1 Los invasores de Virginia buscaron oro en Jamestown, en lugar de cavar para cultivar la tierra. Naturalmente, pronto empezaron a pasar hambre. El invierno de 1609 se conoce como «la época del hambre».

George Percy, un colono inglés, describió con detalles espeluznantes sus sufrimientos:

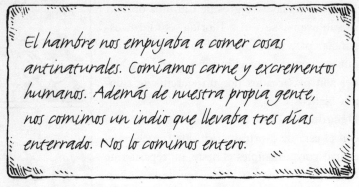

El hambre nos empujaba a comer cosas antinaturales. Comíamos carne y excrementos humanos. Además de nuestra propia gente, nos comimos un indio que llevaba tres días enterrado. Nos lo comimos entero.

Imagina que tuvieras que comer «excrementos», es decir, «caca», por si no sabías lo que significa.

¿TIENE ALGO MÁS APARTE DE CARNE HUMANA PUTREFACTA?

PAPILLAS DE CACA, TORTILLA DE CACA, EMPANADA DE CACA, CROQUETAS DE CACA, PATÉ DE CACA, PIZZA DE CACA, PASTEL DE CACA Y FLAN DE CACA.

DEME CARNE HUMANA PUTREFACTA.

2 Después de aquello, las otras delicias que comían les parecerían exquisitas. Se zampaban perros, ratas, ratones, serpientes y caballos.

¿QUÉ ES ESTO?

RATONES FRITOS

SSS

GARRAC, GARRAC

3 No cuentes a tu padre el siguiente horror virginiano: un hombre mató a su mujer para comérsela. Cuando había empezado a salarla para tener carne para el invierno, fue sorprendido. El hombre fue ahorcado, pero no se lo comieron.

¿CÓMO DECLARAN AL ACUSADO?

SALADO.

4 Por si eso fuese poco, los colonos de Jamestown enfermaban, contraían enfermedades como la disentería (defecaban sangre) y un hombre murió porque

La piel se le desprendió del cuerpo desde la cabeza hasta los pies.

El problema era que el agua que bebían no era potable. George Percy dijo:

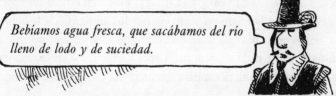

Bebíamos agua fresca, que sacábamos del río lleno de lodo y de suciedad.

Es posible que bebieran agua que estaba demasiado cerca de las letrinas.

¿TE APETECE UNA TAZA DE PIPÍ?

NO

¡QUERRÁS DECIR DE TÉ!

5 La vida resultaba muy dura para aquellos primeros colonos de Virginia o «plantadores», como se llamaban a sí mismos. Entre 1606 y 1625, desembarcaron 7289 colonos y 6040 de ellos no tardarían en quedarse «plantados» en el suelo, muertos. El hambre, las enfermedades y los ataques de los indios acabaron con ellos.

El colono Richard Frethorne escribió:

> *Nunca hubiera imaginado que en una cabeza pudiera caber tanta agua como la que emana cada día de mis ojos.*

Un año después de escribir esas líneas murió.

6 En el año 2000, a un científico se le ocurrió una nueva idea: quizá los colonos de Jamestown no murieron de hambre ni enfermos. Tal vez murieron intoxicados.

Los ingleses y los españoles se odiaban mutuamente y los españoles no querían a los ingleses en América. Una guerra habría resultado demasiado cara. Era mucho más fácil enviar un espía a la colonia de Jamestown y envenenar los alimentos o la bebida.

El veneno más fácil de utilizar sería el arsénico, porque no sabía ni olía a nada y, en aquella época, abundaba en Jamestown. Los colonos lo utilizaban para matar ratas. ¿Acaso fue usado para matarlos?

7 Si bien los colonos apenas conseguían defenderse de las enfermedades, por lo menos podrían haber sido mejores agricultores y, sin lugar a dudas, hubieran podido mantener la paz con los indios, pero no fueron capaces de ello.

Los colonos hicieron un trato con los indios en el río Potomac, según el cual se comprometían a ser amigos de los indios «para toda la vida». A los virginianos no les resultó difícil cumplir el trato, porque procuraron que la vida de los indios fuese muy corta.

–¡Bebed con nosotros! –les dijeron los virginianos.

Los indios bebieron la cerveza especial de los colonos, pero éstos no bebieron. El jefe indio, su familia y doscientos miembros de su tribu murieron envenenados. ¡Viles virginianos!

8 Pero los indios también podían ser crueles y traidores. El jefe Opechancanough envió un destacamento de paz a hablar con los colonos. Desayunaron juntos, luego los indios agarraron todas las armas que encontraron y mataron a todos los hombres, mujeres y niños que pudieron alcanzar. Mataron a 350 colonos, cuando había tan sólo 1000 en todo Virginia.

Veintidós años más tarde, el jefe Opechancanough dijo a los colonos: «¿Qué os parece si mando un destacamento de paz a hablar con vosotros?»

¿Qué hubieras hecho en el lugar de los colonos? Supongo que habrías dicho: «No gracias, amigo Ope».

Pero los colonos dijeron: «Muy bien».

¿Qué hizo el destacamento de paz de Opechancanough? Pues mataron a otros 300 colonos.

QUIENES HAY NUNCA APRENDEN

SE HA CUMPLIDO LA MÁXIMA DE «HAY QUIENES NUNCA APRENDEN».

Los Padres Peregrinos

A esta gente no les gustaba la Iglesia Anglicana, por lo que se mudaron a Holanda. Como no les gustaban los holandeses, hicieron las maletas y embarcaron rumbo a América. Al parecer, no les gustaban demasiadas cosas, ¿verdad?

Aquí tienes una breve pregunta para tu profe de mates.

101 PEREGRINOS PUSIERON RUMBO HACIA AMÉRICA EN 1620. UN PEREGRINO MURIÓ DURANTE EL VIAJE. ¿CUÁNTOS PEREGRINOS DESEMBARCARON?

¿100?

NO. ¡LA RESPUESTA ES 102!

¡EXPLÍCATE!

DURANTE EL VIAJE NACIERON DOS.

Desembarcaron el 26 de diciembre de 1620 en la costa nordeste para fundar una colonia, pero la verdad es que no estaban muy bien preparados para ello. El peregrino William Mullins se llevó 126 pares de zapatos y 13 pares de botas, pero NADIE se llevó un arado ni un caballo, ni una vaca ni un sedal.

Fig II   Peregrino arando

¡Arre!

Peregrino transportando

Peregrina ordeñando

Peregrino pescando

24

Los colonos sobrevivieron gracias a la ayuda de los indios que encontraron.

Sin embargo, lamentablemente los peregrinos llevaban consigo unas malas amistades: las enfermedades. Los indios desconocían esas enfermedades y sus cuerpos no estaban protegidos contra ellas, por lo que millones de ellos murieron.

¡Vaya forma de mostrar agradecimiento a las personas que te han salvado! Y lo que es peor, a medida que los indios iban muriendo, los colonos se iban extendiendo hasta que ocuparon todo el continente.

Los indios habían talado los bosques y habían aprendido a plantar maíz y construir poblados. Los Padres Peregrinos ocuparon las tierras despejadas y luego:

- Saquearon los poblados. Un Peregrino escribió:

Los navegantes llevaban rifles y, al no oír a nadie, entraron en las casas. Vieron que sus habitantes se habían ido. Entonces cogieron algunas cosas, pero no se atrevieron a quedarse. Teníamos la intención de dejar algunos abalorios en las casas, pero no lo hicimos porque nos fuimos con prisas.

¡Ja! ¡Cualquiera se lo cree! Es como si un ladrón se llevase tu vídeo y luego dijera: «Iba a dejarte algo de dinero, pero al oír que se acercaba la poli, he tenido que salir corriendo.»

- Saquearon los graneros de los indios.

> Avanzamos hacia un lugar llamado Cornhill, donde en otra ocasión habíamos encontrado maíz. Cavamos y encontramos tres cestos llenos y un saco de alubias, lo cual sería suficiente. Con la ayuda de Dios encontramos aquellos cereales.

¡Mejor aún! Eso sería como si el ladrón hubiese dicho: «¡Como encontré tu casa vacía y la puerta abierta, pensé que Dios probablemente quería que te robara!»

- Lo peor de todo es que saqueaban las tumbas de los indios.

> Encontramos algo parecido a una tumba. Decidimos cavar en ella. Encontramos una estera, un arco muy bello, cuencos, platos y bandejas. Cogimos varios de los objetos más hermosos para llevárnoslos y volvimos a cubrir el cadáver.

¡Cómo se puede ser tan macabro! Imagina que el ladrón dijera: «Fui y profané la tumba de tu abuela, pero, no pasa nada, porque ¡volví a cubrir el cadáver!». ¡Siniestros peregrinos!

¿Sabías que…?

Los primeros colonos eran religiosos. Creían en la «obediencia», en especial, la de los niños. En 1648, en Massachusetts se aprobó una ley que establecía:

> Un joven no debe golpear a sus padres ni insultarlos. Cualquier persona mayor de dieciséis años que insulte o golpee a su padre o a su madre será condenado a muerte.

¡Y pensabas que las reglas de la escuela eran severas!

De hecho, no se tiene noticia de ninguna ejecución por haber murmurado palabras injuriosas contra mamá o por haber dado una paliza a papá.

Nueva Inglaterra: antiguos y crueles métodos

Los indios del sur habían sufrido bajo Colón y los ejércitos españoles. Las tribus del norte no tardarían en sufrir después de la llegada de los ingleses.

De la guerra del rey Philip de 1675, un soldado escribió:

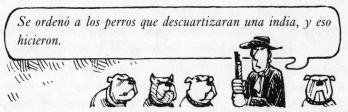

Se ordenó a los perros que descuartizaran una india, y eso hicieron.

¡Una forma de morir muy común! William Bradford describió un ataque a un poblado indio, en el que la mayoría de las víctimas fueron mujeres y niños. Escribió:

Los que huían del fuego eran asesinados con la espada. Algunos eran troceados y otros sufrían una muerte rápida con un estoque. Sin embargo, resultaba escalofriante verlos asarse en el fuego y ver los chorros de sangre que apagaban las llamas. Se respiraba un hedor horrible, pero aquello parecía un sacrificio muy pequeño para tamaña victoria, y dieron las gracias a Dios por haberles permitido aquel maravilloso triunfo.

El rey Philip fue apresado y su cabeza clavada en un poste. (¡Probablemente creerían que así complacían a Dios!)

Puesto que el hijo del rey Philip era el nieto del jefe que había salvado a los Peregrinos en 1620, le perdonaron la vida y «tan sólo» lo enviaron como esclavo a las Antillas.

Cinco jefes indios se reunieron con John Washington, antepasado del primer presidente de Estados Unidos, para negociar la paz. Al no conseguir sus objetivos, los colonos mataron a los jefes.

¿A eso le llamaban ellos negociaciones de paz?

Un regalo de los holandeses

Los ingleses no eran los únicos que trataban a los indios con crueldad. Los colonos holandeses de Nueva Amsterdam también podían ser muy sanguinarios. Si un colono holandés hubiese escrito una carta sobre la masacre de los indios wappinger, el resultado habría sido algo así: (por desgracia, los hechos son ciertos.)

Querido Meindert:

Espero que cuando recibas esta carta goces de buena salud, mejor dicho, espero que llegues a recibir esta carta. El Atlántico es muy ancho y profundo y en él se pierden muchas cosas.

En mi última misiva, te hablé del granjero holandés al que asesinaron. No estábamos seguros de quién había matado a ese hombre,

pero los colonos sospechábamos de los indios.
Dijimos al gobernador que queríamos venganza;
de lo contrario, lo cesaríamos en el cargo, por lo
que el gobernador nos dio permiso para que nos
vengáramos.

Naturalmente, no podíamos arriesgarnos a ir
por ahí persiguiendo y matando a los indios, ya
que nos habrían podido matar. Por eso decidimos
vengarnos con la tribu de los wappinger, porque
los teníamos a mano. Hace unas cuantas
semanas, los wappinger vinieron a pedirnos que
los cobijáramos. Les dimos refugio y comida. Son
un pueblo bueno, agradable e inofensivo.

Pero son indios.

Y queríamos matar indios, por lo que
exterminamos a los wappinger.

Naturalmente no queríamos luchar contra
ellos en una batalla, porque alguien podría
haber resultado herido. Así que esperamos
a que se durmieran. Nuestros hombres se

precipitaron en el refugio de los wappinger y mataron a todos los hombres, mujeres y niños que encontraron. Se apresuraron a cortarles la cabeza y clavarlas en postes, para que todo el mundo viera lo que los holandeses hacemos cuando uno de nuestros granjeros es asesinado.

Una de las cabezas se desprendió del poste y la Sra. Cuyp la hizo rodar a puntapiés por toda la calle. Fue divertido verlo, aunque la sangre y el cerebro le salpicaron y ensuciaron su falda.

Sólo dejamos con vida a un wappinger, porque no estaba en el refugio cuando el resto de la tribu fue exterminado. El pobre recibió el peor de los tratos. Casi me dio lástima.

Primero, los hombres lo sujetaron y le cortaron las vergüenzas, ya entiendes a lo que me refiero, Meindert.

Luego le arrancaron la piel, le cortaron trozos de carne y le obligaron a comérselos. Cuando el gobernador lo vio, lo encontró muy gracioso. Se rió tanto que se le saltaron las

lágrimas. Me habría gustado que hubieses
estado para verlo, Meindert. Seguro que te
habría gustado. Me voy, porque quiero practicar
ese nuevo deporte que consiste en hacer rodar
una cabeza a puntapiés por la calle.

Tu querido amigo,

Jacob

Nos hemos inventado la carta, pero los horribles incidentes que se describen en ella pasaron de verdad.

Los colonos arrancadores de cabelleras

Para arrancar la cabellera, cortaban el cuero cabelludo de la víctima, estuviera ésta viva o muerta. ¿Quiénes fueron los primeros en poner en práctica esta brillante idea?

a) Los indios
b) Los holandeses
c) Los británicos

Respuesta: b) Los holandeses llegaron a la conclusión de que la forma más segura de librarse de los indios no era en un campo de batalla, porque allí podían perder. No, lo más seguro era aprovechar todas las ocasiones para eliminar a los indios uno a uno. Todo aquel que mataba un indio recibía la recompensa de 12 libras esterlinas en 1703, cantidad que subió a 100 libras en 1722. Para demostrar que habían matado a un indio, tenían que presentar su cabellera.

En las guerras francoindias de 1756-63, los británicos adoptaron aquella encantadora costumbre, ofreciendo 5 libras esterlinas a todo aquel que presentara una cabellera francesa, pero

100 libras si la cabellera era de la cabeza ¡de un misionero católico francés! La máxima recompensa fue de 200 libras por Shinngass, jefe de los indios delaware.

¿No te preguntas cómo sabían de dónde procedía la cabellera? Me refiero a que uno podía desollar un animal y luego reclamar la recompensa.

¡VEN ACÁ, GATITO LINDO!

¿Sabías que?

Creemos que la guerra bacteriológica es un invento moderno, pero en 1758 el general británico, Jeffrey Amherst, hizo un regalo a los indios enemigos en señal de reconciliación: les obsequió unas mantas.

¿De dónde había sacado las mantas? De los cadáveres de los enfermos de viruela de un hospital británico. ¡Perverso!

La caza de brujas

Los indios no fueron las únicas víctimas de la severidad de los puritanos de Nueva Inglaterra. Ni siquiera las mujeres y sus hijas estaban a salvo.

Todo empezó en Salem, Massachusetts, en 1692, cuando tres muchachas de nueve, diez y doce años causaron muertes y muchos problemas. Betty, Abigail y Ann empezaron a mostrar un comportamiento extraño, que el médico justificó diciendo:

¡HAN ESTADO EN CONTACTO CON EL DIABLO! ¡ESTÁN ENDEMONIADAS!

¿A quién podían echar la culpa? El padre de Betty era un sacerdote, así que no le podían culpar. Sin embargo, aquella familia tenía una esclava negra llamada Tituba, que había enseñado a las niñas a predecir el futuro. ¡Era un blanco fácil!

Las reglas de la caza de brujas eran sencillas:

Naturalmente, todas las acusadas tenían que acusar a alguien más para salvar la vida y así sucesivamente. Ciento cincuenta personas fueron acusadas de brujería, sabiendo que tal acusación era falsa.

Las víctimas decían insensateces como:

Luego Betty, Abigail y Ann dijeron:

Habría sido lógico que aquella confesión hubiera puesto fin a aquella locura, pero, los acusadores dijeron:

¡NO! ESAS BRUJAS HAN ADMITIDO QUE SON BRUJAS.

Así que 19 mujeres fueron ahorcadas. Sin embargo, el que corrió peor suerte fue un hombre. Al negarse a confesar si era o no era culpable, le castigaron con la lapidación; es decir, le cubrieron de piedras hasta que murió aplastado y asfixiado.

Y todo esto porque tres mentirosas quisieron «divertirse».

El sufrimiento de los esclavos

En 1619, llegaron los primeros esclavos africanos a las colonias inglesas de Virginia. No todos los esclavos sobrevivieron al horrible viaje:

- Los secuestraban en la costa occidental de África, los ataban a otros cautivos por las manos y el cuello y los obligaban a cruzar toda la costa hasta llegar a los puertos africanos. Muchos perecían en este trayecto.

- Los metían en barcos en los que cada cautivo no disponía más que de medio metro de espacio. Estaban apretados como sardinas en una lata. Algunos podían hacer ejercicio en la cubierta, pero muchos otros no. Un gran número fallecía durante el viaje.

34

- Si el aire asfixiante que se respiraba debajo de la cubierta no los mataba, lo hacían las enfermedades. Cien personas tenían que compartir un único «retrete», que consistía en un simple cubo. Un médico, al examinar un barco infectado, declaró:

  El suelo de sus bodegas estaba tan lleno de sangre y mucosidad que parecía un matadero.

- Los esclavos fallecidos eran arrojados al mar. Los que sobrevivían estaban tan débiles, que una cuarta parte de ellos moría durante su primer año en América.

¡BIENVENIDOS A AMÉRICA, LA TIERRA DE LA LIBERTAD!

(En la canción «The Star Spangled Banner» (La bandera estrellada), escrita en 1814, 200 años más tarde de la llegada de los primeros esclavos a Virginia, América del Norte era descrita como la «tierra de la libertad». Pero incluso en 1814, el calificativo de «tierra de la libertad» resultaba humillante. En 1931, la canción se convirtió en el himno nacional de EEUU.

A partir de la década de 1660, los estados empezaron a elaborar leyes para controlar a los esclavos. Entre otras cosas establecieron:

> Conspirar contra los dueños blancos será castigado con la muerte.
>
> Cometer perjurio en un tribunal se castigará:
> 1 Clavando una oreja del culpable a un poste.
> 2 Azotando al culpable.
> 3 Cortando la oreja clavada al poste.
>
> Se prohíben las reuniones de cuatro o más esclavos, incluso en los funerales.
>
> Si un esclavo golpea a un blanco dos veces, se le castigará cortándole la nariz y quemándole la cara.

Adivina cuál era el castigo para un blanco que matara a un esclavo.

Lo has adivinado, el blanco no era castigado, salvo en el caso de homicidio premeditado, en cuyo caso era castigado tan sólo a tres meses de cárcel.

LOS RUIDOSOS REVOLUCIONARIOS

A mediados del siglo XVIII los norteamericanos eran gobernados por los británicos. Las leyes eran aprobadas en la Cámara de los Comunes de Londres y los norteamericanos pagaban impuestos a los británicos.

Los norteamericanos dijeron:

Y así empezó todo.

Cronología de esos ruidosos revolucionarios

1763 Terminan las guerras francoindias. Los británicos han pagado la defensa de sus ciudadanos norteamericanos y esperan que éstos paguen impuestos para sufragar los gastos. Los británicos exigen un «impuesto sobre el azúcar» para endulzarles la vida. Los norteamericanos se enfurecen y se rebelan. ¡Preparaos británicos!

1765 Una turba de norteamericanos destruye la casa del gobernador británico en Boston. Los británicos envían tropas para pacificar Boston y ocupar los puestos de trabajo de los bostonianos. ¡Se avecinan tiempos difíciles!

1770 Los soldados británicos encargados de «mantener la paz» en Boston son apedreados por la turba. Ellos disparan a la multitud y mueren cinco norteamericanos. A este hecho los norteamericanos lo llaman «la masacre de Boston». Dos soldados son declarados culpables de homicidio sin premeditación y les marcan el dedo pulgar, pero los norteamericanos reclaman venganza de verdad.

1773 Los rebeldes de Boston se disfrazan de indios y arrojan el té británico al mar en el puerto, como protesta contra el impuesto sobre el té. En consecuencia, el té sabe a mil demonios, lo cual disgusta a los británicos.

1774 Estados Unidos crea su propio parlamento, al que llama «El Congreso Continental» (un nombre más grandilocuente). Mientras tanto, los norteamericanos empiezan a armarse.

¡FUE UNA GUERRA GENIAL!

ME ALEGRO DE QU SE LO PASARA BIE SEÑOR. AQUÍ TIEN LA CUENTA.

¡MATARON A MI HIJO!

¡ME DAÑAR EL PULGA

¡AZÚCAR Y LECHE, POR FAVOR!

AHORA TENDREMOS QUE HACER EL OSO

1775 Los casacas rojas británicos avanzan hacia las zonas rurales para desarmar a los norteamericanos. Se enfrentan en Lexington y en Concord. Tras la batalla de Bunker Hill, los rebeldes son vencidos pero no quedan aplastados. Volverán (a las andadas). Los norteamericanos eligen a George Washington para que dirija sus ejércitos rebeldes.

1776, 2 de julio. Mientras los ejércitos británicos luchan para derrotar a los norteamericanos, éstos elaboran la «Declaración de Independencia», pero el presidente no la firma hasta el 4 de julio, por lo que los norteamericanos lo celebran ese día. (La «Declaración de Independencia» empieza diciendo: «Todos los hombres nacen iguales», pero en realidad quiere decir «Todos los hombres nacen iguales, salvo que sean indios, negros o mujeres».)

1783 Con el Tratado de París se firma la paz. Los norteamericanos se han independizado del gobierno británico y...

1789... George Washington es elegido presidente de los 13 estados norteamericanos, los Estados Unidos de América. Pero los dichosos británicos volverán.

Morir por América

El inconveniente de la prensa es que cuenta a los lectores lo que éstos quieren oír para vender más periódicos y, de este modo, se desvirtúan las noticias. Pongamos por ejemplo lo que sucedió en Boston en 1770. Se le podría llamar «disturbio» o incluso «agitación», pero para los enojados norteamericanos fue algo muy distinto.

⚜ El noticiero de Boston ⚜

MASACRE

Los brutales británicos disparan contra una multitud en Boston

Anoche una manifestación pacífica de bostonianos se convirtió en una cruel carnicería, cuando los desenfrenados casacas rojas apuntaron sus rifles contra nuestros sufridos ciudadanos.

Los casacas rojas además de intimidar a nuestra ciudad durante dos años, nos están quitando los puestos de trabajo. Nuestros hombres tienen problemas para encontrar trabajo y, sin embargo, esos bandidos británicos están trabajando en nuestros muelles para ganar un dinero extra en su tiempo libre. Nuestros pacíficos peones de los muelles sólo pretendían manifestar su malestar.

Los obreros se enfrentaron a nueve casacas rojas muy bien armados que les interceptaron el paso. Los trabajadores les lanzaron algún que otro insulto, como «Muerte a esos cerdos casacas rojas» y otras bromas parecidas. Luego les lanzaron alguna que otra bola de nieve, en algunas de las cuales tal vez hubiera hielo o piedras, pero, de haber sido así, se habría tratado de una casualidad.

Entonces, de repente, en la calle se oyó la palabra fatídica: «¡Fuego!» (Se ha escrito que un alborotador de Boston había gritado «¡Fuego!», para iniciar el jaleo, pero nosotros no lo creemos, ¿o sí?)

En cuanto se hubo pronunciado la fatídica palabra, se disparó un mosquete, que mató en el acto a un marino de 54 años llamado Crispus Attucks.

No estando satisfechos por haber manchado nuestras amadas calles de la sangre de un inocente, los perversos británicos continuaron disparando y mataron a otros cuatro hijos de Boston.

La próxima sangre que se derramará será la de los británicos, porque esta «masacre de Boston» debe marcar el inicio de una revuelta contra nuestros crueles amos.

¡Los cinco bostonianos no habrán muerto en vano!

Es cierto que matar a cinco personas es algo terrible, pero no se puede clasificar de «masacre».

Sin embargo, este hecho sirvió a los líderes norteamericanos de excusa para suscitar el descontento contra los británicos. No querían que los británicos gobernaran con mano blanda, sino que lo que pretendían era que se fueran.

¿La verdad? Los alborotadores, literalmente, se lo pidieron, *¡se lo pidieron!* Se agruparon alrededor de los casacas rojas y les gritaron a la cara:

Al final, dispararon.

El problema del té

B–o–s–t–o–n causó muchos problemas a Gran Bretaña y, después de la llamada «masacre», siguió en 1773 la llamada «Fiesta del Té» de Boston (*Boston tea-party*).

Los británicos dijeron:

NOSOTROS OS ENVIAREMOS TÉ BARATO PROCEDENTE DE NUESTRA COMPAÑÍA DE LAS INDIAS ORIENTALES. NO PODÉIS COMPRAR TÉ A NADIE MÁS Y LO GRAVAREMOS CON UN PEQUEÑO IMPUESTO. DE TODOS MODOS, SERÁ UNA GANGA.

Y los muy desagradecidos de los norteamericanos dijeron: «No, gracias».

Como los británicos se empeñaron en enviar el té a Estados Unidos, los norteamericanos decidieron sacarlo de los barcos y arrojarlo al mar en el puerto de Boston.

Los rebeldes se habían vestido de indios mohawk y cantaban esta alegre canción:

LOS MOHAWK UNIDOS, NUESTRAS ARMAS SACAREMOS Y AL REY GEORGE CON FUERZA DIREMOS QUE NINGÚN IMPUESTO SOBRE EL TÉ EXTRANJERO PAGAREMOS. SUS ALOCADAS AMENAZAS NO HEMOS DE TEMER Y NADA DE ESTE MUNDO NOS VA A OBLIGAR A BEBER ESE TÉ INMUNDO.

Abordaron el barco, procurando no dañarlo ni robar ni un gramo de té. La principal víctima fue el capitán del barco del té. Lo desnudaron, le dieron una paliza y lo cubrieron de barro.

¡Y tuvo SUERTE! Porque el trato corriente que los rebeldes infligían a sus enemigos era cubrirlos de alquitrán y plumas. El barro se va con el agua, pero para quitar el alquitrán hay que arrancar la piel y el pelo. Había mucho alquitrán y muchas plumas volando cuando, más tarde, ese asunto de la fiesta del té desembocó en una revolución como Dios manda.

La fuerza de los esclavos

En 1775, los británicos propusieron un trato a los esclavos americanos.

GRAN BRETAÑA

TE

NECESITA

¿Eres un esclavo? ¿Quieres la libertad?
¡Alístate en el ejército británico!
Lucha por Gran Bretaña y serás libre.
Presenta tu solicitud al gobernador Lord Dunmore ¡YA!

Los esclavos que huyeron para alistarse en el ejército británico de Lord Dunmore fueron entrenados y entraron en batalla luciendo fajines blancos en los que se leían las palabras «Libertad para los esclavos».

Lo bueno fue que mil esclavos se alistaron al ejército de Dunmore. Pero ¿qué fue lo malo? Elige una de estas tres respuestas:

a) Los hermosos y llamativos fajines claros los convertían en un blanco perfecto para los mosquetes enemigos, ¡claro! Los mil esclavos murieron en el combate.

b) Perdieron la batalla y los 1000 esclavos fueron devueltos, encadenados, a sus dueños.

c) Lord Dunmore no cumplió su promesa y no liberó a los supervivientes.

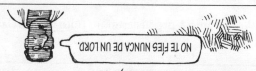

Respuesta: c) ¡Resulta increíble que Lord Dunmore no cumpliera su promesa! ¡Al fin y al cabo, era un lord británico! Puso a los mil valientes esclavos en un barco, navegó hacia las Antillas y los vendió a las plantaciones de azúcar. Luego, Lord Dunmore se metió el dinero en el bolsillo y se fue a su país, Gran Bretaña. La moraleja es:

NO TE FÍES NUNCA DE UN LORD.

Mujeres revoltosas

En la guerra de independencia de EEUU, no lucharon solamente hombres norteamericanos contra hombres británicos, sino que las mujeres también tuvieron un papel importante, luchando, espiando y escupiendo.

La peligrosa Debbie

Muchas mujeres, e incluso niños, siguieron a sus hombres a la guerra. Lavaban, cocinaban y cuidaban de los heridos. Pero Deborah Sampson se vistió de hombre y combatió como uno de ellos. La hirieron dos veces. La primera vez le dispararon en una rodilla y se encontró en una situación poco usual.

Se fue cojeando y dejó que la herida se curara sola. Pero la segunda vez, la hirieron en el hombro y tuvo que enfrentarse a un problema más grave. El médico del ejército, el Dr. Birney, descubrió que era una mujer, pero guardó su secreto y la envió a su propia casa a descansar. La cuidó la sobrina del doctor, pero...

Cuando la guerra terminó, se ganó bien la vida dando conferencias y contando su vida por todo Estados Unidos.

La alocada Molly

Molly Hays siguió a su marido al campo de batalla para suministrarle agua. La llevaba en una jarra, por lo que se ganó el apodo de «Molly Jarra». Sin embargo, Molly Jarra no era, que digamos, un ejemplo de buena educación, pues fumaba, masticaba, escupía tabaco y soltaba tacos como un soldado.

ADVERTENCIAS DE ESA HORRIBLE HISTORIA PARA LA SALUD
No intentes imitar a Molly Jarra en casa. Sobre todo, no intentes fumar, masticar, escupir y soltar tacos al mismo tiempo, porque probablemente te atragantarías.

Su marido se encargaba de limpiar el interior del tubo del cañón cada vez que disparaban. En la batalla de Mammouth Court House, cuando su mujer le llevaba el agua, el hombre murió de un disparo.

¿Molly rompió a llorar? ¿Huyó? ¡Que va! Cogió el «atacador» para limpiar y ocupó su puesto en el cañón.

Un soldado que estuvo en Mammouth contó algo demasiado grosero para repetirlo en un libro de historia para niños, pero este libro es de la colección *Esa horrible historia*, así que aquí lo tienes. Joseph Martin dijo:

> *Molly estaba intentando coger un cartucho, por lo que tenía las piernas lo más abiertas posible. De repente, un cañón enemigo se disparó y la bala pasó entre sus piernas, arrancándole sólo la falda. Ella, impasible, miró el desperfecto y dijo: «Menos mal que no ha volado un poco más alto, de lo contrario me habría arrancado otra cosa».*

Las orejas de Lydia

En 1777 el general británico Howe llegó a Filadelfia y dijo a Lydia Darragh, una mujer norteamericana, que quería utilizar su casa como punto de reunión.

Tú y yo habríamos respondido: «¡Vete de aquí cara de murciélago, cerebro de pulga, británico fanfarrón!» Pero ¿qué le habría ocurrido a Lydia, si hubiese contestado de esta forma? Los soldados la habrían expulsado de su casa.

46

Como Lydia era una mujer lista, le dijo: «Sean bienvenidos. No me interesa la guerra, pero me gustaría poder vivir en el piso de arriba, mientras ustedes ocupan las habitaciones de abajo para sus reuniones».

El general Howe se dejó convencer y la dejó quedarse en su casa. Éste fue su primer error.

Su segundo error fue no poner ningún guardia ante la puerta de la sala de reuniones. Lydia bajaba sin hacer ruido y escuchaba detrás de la puerta. ¡Oyó que los británicos planeaban atacar a los norteamericanos!

Al día siguiente, recorrió siete kilómetros para pasar la información al ejército rebelde de George Washington.

Washington se preparó para el ataque de Howe, rechazó a los británicos, se reservó su ejército para luchar otro día y... al final ganó.

El malvado Ben

Benedict Arnold ha pasado a la historia de Estados Unidos como un traidor. Se pasó al enemigo y reveló los secretos de los norteamericanos a los británicos. Luego luchó con sus nuevos amigos, los británicos.

Arnold había sido herido en Quebec y en Saratoga en la misma pierna, luchando con Estados Unidos contra los británicos. El jefe de los rebeldes, Thomas Jefferson, ardía en deseos de poner las manos encima del malvado Arnold y poderse vengar de él. Jefferson dijo:

47

Si lo cogemos, le cortaremos la pierna americana y la enterraremos con todos los honores, el resto lo ahorcaremos.

Nunca lo cogieron y el malvado Ben se fue a vivir a Inglaterra. No gozó de las simpatías de nadie, ni siquiera de los británicos y murió endeudado. Thomas Jefferson estaría contento.

¿LO VEIS? ¡LOS TRAMPOSOS NUNCA SE SALEN CON LA SUYA!

Las pequeñas trampas de George

George Washington fue nombrado comandante de las fuerzas de Estados Unidos para luchar contra los británicos. Más tarde llegó a ser el primer presidente de los recién creados Estados Unidos de América. Es recordado como un hombre HONESTO, pero ¿lo era realmente?

Desde el punto de vista militar, el honesto Washington perdió muchas batallas hasta que aprendió a hacer alguna trampita. Aquí tienes algunos ejemplos.

Chestnut Ridge

28 de mayo de 1754. George empezó su carrera militar luchando por los británicos contra los franceses. Su compañero, un jefe indio, quería atacar un pequeño campamento del ejército francés en Chestnut Ridge. George lo hizo, PERO…

Trampa 1 ¡Por aquel entonces, los franceses y los británicos habían firmado una tregua! (Esto es algo así como si dijeras «seamos amigos» al niño más pequeño de la clase y, cuando éste te ofreciera la mano, le dieses un puñetazo en la nariz.)

Trampa 2 George atacó antes del amanecer, bajo una lluvia torrencial, por lo que los franceses no pudieron verle llegar hasta el último momento. (Esto es como desenroscar la bombilla de la habitación de tu hermana y luego arrojarle un cubo lleno de agua encima.)

Trampa 3 Cuando las tropas de Washington se abalanzaron contra las puertas del fuerte, los franceses intentaron huir por detrás ¿no lo harías tú?, pero los amigos indios de Washington los estaban esperando para aplastarlos. Cuando el francés Joseph Coulon se acercó a Washington para rendirse, el jefe indio le aplastó la cabeza con un garrote. (Esto es algo así como esperar a que suene el último silbato en un partido de fútbol para atacar a tu oponente y romperle una pierna.)

Todos los franceses murieron menos uno, que logró escapar porque había salido muy temprano por la mañana a hacer pipí.

La travesía del Delaware

El 26 de diciembre de 1776, George Washington luchaba contra las fuerzas británicas, pero seguía recurriendo a su truco favorito. Al mando de 2400 norteamericanos, cruzó el río Delaware para atacar las tropas hessianas (de Alemania), que luchaban por los británicos, pero:

Trampa 1 De nuevo, lo hizo de noche. A ese hombre le debía costar conciliar el sueño, ya que prefería luchar de noche que dormir.

Trampa 2 Atacó al día siguiente de Navidad, cuando las tropas hessianas estaban borrachas. ¡Navidad! ¡Época de paz, amor y alegría! ¡Cuando los pobres soldados hessianos esperaban poder dormir un poco más! (Esto es como esperar a Navidad para meter bombas fétidas por el buzón de tu abominable vecino. Tú jamás elegirías un día como ése, ¿verdad?)

Trampa 3 Sus hombres atacaron a los hessianos cuando estaban en la cama. No les saltaron encima y les dijeron: «Feliz Navidad, eres un prisionero». ¡No! Les dijeron: «Feliz Navidad. Eres hombre muerto». Y mataron a un centenar.

Los horrores hessianos

Un tercio del ejército británico, enemigo de Washington, procedía de Hesse, Alemania, y era de lo más feroz y temible. A los hessianos les pagaban por luchar por Gran Bretaña, por lo que a George Washington y a su gobierno se les ocurrió:

Trampa 1 Pagar a los soldados hessianos para que NO lucharan contra ellos. Washington se «armó» de unos trozos de papel, en los que se prometía tierra gratuita para todos los soldados hessianos que cambiaran de bando. (Esto es algo así como sobornar a los mejores jugadores del equipo contrario para que abandonen el juego en cuanto comience el partido. ¡Se acabó el partido!)

Trampa 2 Naturalmente, el verdadero engaño fue que la tierra que los norteamericanos prometieron no les pertenecía a ellos, sino que eran tierras de los indios. Los hessianos tuvieron problemas para tomar posesión de sus tierras.

Al final, George Washington y los norteamericanos ganaron la guerra de la Independencia, y no porque tuvieran al mejor de los generales, sino porque el ejército británico era peor que las fuerzas norteamericanas y luchaban muy lejos de casa.

Seis años más tarde, Washington fue recompensado con el nombramiento de presidente, y la colonia británica de América se convirtió en los «Estados Unidos de América», que se extendían por toda la costa Atlántica hasta el Misisipí, aunque, como de costumbre, nadie preguntó a los indios su opinión.

Los malos

1 El primer malo

Con toda probabilidad, el primer malo de EEUU fue un rufián londinense llamado John Billington, que desembarcó en Plymouth Rock, y que llegó a bordo del *Mayflower* en 1620. Durante el viaje, para impedir que siguiera diciendo tacos y molestara a los buenos Peregrinos, el capitán Standish le ató los pies al cuello.

En 1630, lo ahorcaron por haber disparado a un compañero peregrino: la primera (pero sin duda no la última) ejecución de la historia de Estados Unidos de la que se tiene noticia.

2 Los primeros vigilantes

En la década de 1760, los asesinos y los ladrones merodeaban por las zonas rurales de Carolina del Sur y no había sheriffs capaces de detenerlos. Algunos habitantes de la zona se autoproclamaron «reguladores», que significa «vigilantes», para terminar con aquellos vulgares delincuentes. ¿Qué harías tú, si detuvieras un asesino? Recuerda que no había cárceles. Además, ¿quién vigilaría al asesino y pagaría su alimentación hasta que lo juzgaran? Respuesta: ¡Olvidaos de juicios! ¡Ejecutadlo! Mucho más fácil. No todos los forajidos que atrapaban eran entregados a la ley; muchos de ellos eran asesinados al instante; normalmente los mataban a latigazos y, a veces, al son de violines.

3 La primera banda

En la década de 1770, apareció la banda de los Doane, la primera banda de forajidos formada por unos hermanos. Los hermanos (dirigidos por Moses) junto a doce individuos más lucharon por el rey Jorge en Pensilvania. ¿Cómo servían a su rey? Robando todo lo que encontraban de los norteamericanos con la ayuda de mosquetes, cuchillos y tomahawks o hachas de guerra. Tras la derrota del ejército británico del rey Jorge, siguieron asaltando granjas y pueblos. Finalmente, la mayoría de ellos fueron apresados y ahorcados. A esos ladrones los llamaban «Tories».

4 El primer salteador de diligencias

Joseph T. Hare nació en Pensilvania. Empezó en la zona de Nueva Orleans, robando las carteras de los viajeros solitarios. Después de pasar una temporada en la cárcel, se fue hacia el norte. En 1818, asaltó la diligencia nocturna de Baltimore, consiguiendo un botín de 15.000 dólares. Dos días más tarde, fue detenido mientras compraba un abrigo muy caro en una tienda de lujo y fue ahorcado en septiembre de 1818. Tal vez fuera el primero, pero no duró mucho tiempo.

5 Los primeros piratas de los ríos

En la época de la banda de los Doane, Sam Mason era un forajido norteamericano leal, pues robaba a los británicos. Cuando terminó la guerra de la Independencia, conservó su trabajo poco honorable, asaltando los barcos que cruzaban el Misisipí y otros ríos. Su truco favorito consistía en conseguir que lo contrataran como piloto para dirigir el barco por los tramos difíciles del río. Entonces encallaba el barco cerca del escondrijo de su banda.

A veces le ayudaba una perversa mujer quien, desde una isla, gritaba al barco que pasaba: «¡Socorro! ¡Me he perdido!». En el momento en que el barco se acercaba a ella, el resto de la banda cogía unas canoas y lo atacaban. Los gobernadores de Luisiana y Misisipí pusieron precio a la cabeza de Mason.

6 El primer cazador de recompensas

Donde hay una recompensa, suele haber alguien que quiere cobrarla, es decir un cazador de recompensas. En la década de 1770, Bill Sitter, un cazador de recompensas, apresó a Sam Mason, el pirata de los ríos, y entregó su cabeza (según algunas crónicas, en una botella; según otras, en un cuenco de barro!)

Pero entonces, una cicatriz que tenía en el pecho delató a Bill Sitter y supieron que no era Bill Sitter, sino Wiley Harp, un conocido asesino. Fue ahorcado y jamás llegó a cobrar la recompensa.

EL HORRIBLE SIGLO XIX

Los nuevos Estados Unidos de América por fin lograron deshacerse de los mandones de los británicos. Luego tuvieron que librarse de los indios, que habían tenido la desfachatez de llevar más de 10.000 años viviendo en aquellas tierras. La historia estaba a punto de convertirse en algo espantoso, sobre todo para los indios.

Cronología del horrible siglo XIX

1812 Los británicos están en guerra con Francia, vieja amiga de EEUU. Los británicos aseguran que pueden apresar los barcos y a los marineros estadounidenses, y obligarlos a participar en la guerra. Y se inicia un nuevo conflicto. Los británicos atacan Canadá desde el norte y sus amigos indios atacan por el oeste. En 1814, se firma la paz, y los británicos y los indios tienen que retirarse.

1831 Los indios son un obstáculo para los colonos que se dirigen hacia el oeste. Por consiguiente, son obligados a desplazarse más hacia el oeste. A este paso, pronto estarán en el océano Pacífico, o muertos, ¿qué crees?

1846 Los estadounidenses dejan en paz a los indios y se meten con los mexicanos. «Una de las guerras más injustas que jamás se han declarado contra una nación indefensa!» ¿Quién dijo esto? ¡El general estadounidense Ulysses Grant! EEUU gana más de un millón doscientos noventa y cinco mil kilómetros cuadrados de nuevas tierras.

55

1848 Se descubre oro en California, recién conquistada a México. ¡Vaya suerte para EEUU! En los años siguientes sacarán de California oro por 200 millones de dólares.

1861 Estalla la guerra de Secesión, una guerra civil entre los estados del norte y los del sur.

1864 Los indios del jefe Marmita Negra de Colorado hacen las paces, y como recompensa, son masacrados en Sand Creek.

1866 Termina la guerra de Secesión, y los estadounidenses pueden dedicar más tiempo a desplazarse hacia el oeste y a sacar a los indios de sus tierras. Nube Roja, jefe de los indios sioux, opone resistencia.

1874 Hasta ahora, los indios del norte estaban seguros en Black Hills, Dakota, pero se descubre oro en esa región y los mineros no tardarán en dirigirse hacia esas tierras.

1876 Los indios se rebelan contra los mineros invasores y el general Custer se desplaza allí para dejar las cosas claras al jefe Caballo Loco, al jefe Toro Sentado y a sus alborotadores indios sioux. Sin embargo, es Custer quien cae derrotado y muere.

1877 El poderoso ejército de EEUU despliega todas sus fuerzas contra los indios. Caballo Loco se ve acorralado en su reserva y Toro Sentado huye hacia Canadá. Es el fin para los indios libres de Estados Unidos.

1890 Batalla de Wounded Knee, en la reserva de los sioux oglala de Dakota del Sur. Los indios se habían rendido, pero los cercaron y mataron a 153 de ellos, incluidos mujeres y bebés.

Los desplazamientos

Cuando los colonos empezaron a trasladarse hacia el oeste, se encontraron con los indios que vivían allí. A los indios no les gustaba demasiado el tener que compartir sus tierras con los nuevos colonos y empezaron las luchas.

Al presidente Jackson, el asesino de indios, se le ocurrió una solución. «Viejo Cuchillo Largo», como llamaban los indios a Jackson, dijo:

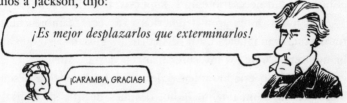

¡Es mejor desplazarlos que exterminarlos!

¡CARAMBA, GRACIAS!

«Desplazar» parecía mejor que «echarlos al río y al bosque». Así que, a partir de 1831 fueron desplazados hacia el oeste del Misisipí.

- Los que no querían ir eran exterminados.
- Los que iban morían de neumonía en invierno y del cólera en verano.
- Una cuarta parte de los cheroqui que fueron trasladados murieron antes de llegar a su nuevo «hogar» en el oeste. El viaje los mató.

Los indios nunca llamaron a este hecho «desplazamiento», sino «La senda de las lágrimas».

EEUU

TERRITORIO INDIO

SENDA DE LAS LÁGRIMAS

1.300 KM

MORÍAN 5 CADA KILÓMETRO Y MEDIO

BIEN PODRÍA LLAMARSE «LA SENDA DE LOS CADÁVERES»

Olvídate de las películas de indios y vaqueros luchando en las llanuras a finales del XIX. Ya en la década de 1830, Viejo Cuchillo Largo había destruido las naciones indias.

Sand Creek y las cabelleras

Los colonos norteamericanos empezaron a diseminarse por las tierras indias. Esos invasores blancos comenzaron a exterminar el bisonte, tan necesario para la supervivencia de los indios.

Los indios intentaron detenerlos y, a veces, también mostraban una gran crueldad. En particular, les gustaba algo que habían aprendido de los invasores blancos: cortar cabelleras.

Un soldado estadounidense describió lo que había descubierto en un campamento indio, después de que su tropa lo destruyera.

Vi que algunos de nuestros hombres abrían unos fardos y sacaban varias cabelleras de blancos: de hombres, mujeres y niños. Recuerdo en particular la cabellera de una mujer. La habían arrancado completamente de la cabeza (habían desollado la cabeza para sacar todo el cabello, que luego habían curtido para que no se descompusiera.) La cabellera era larga y rojiza castaña y caía en tirabuzones. La parte anterior del cuero presentaba dos agujeros, por los que los indios se lo ataban en la cabeza para interpretar la danza de las cabelleras.

Un viajero se encontró con otra masacre india y escribió:

A unos cien metros de un rancho abandonado, encontramos el cuerpo de una mujer asesinada y de sus dos hijos. Uno de ellos era una chiquilla de cuatro años y el otro era todavía más pequeño. A la mujer la habían apuñalado en varios sitios y le habían arrancado el cuero cabelludo. A los dos pequeños los habían degollado y sus cabezas estaban casi separadas del cuerpo.

Cuando el ejército estadounidense oyó estos relatos, pensó que sería justo vengarse. En 1864, en Sand Creek, Colorado, se lanzaron al ataque.

Si fueses el comandante, el coronel John Chivington, ¿a quién atacarías?

a) A una tribu de 600 hombres, mujeres y niños que habían firmado la paz y se habían establecido en un poblado para pasar el invierno.

b) A una tribu de 600 guerreros, que habían acampado en las colinas y saqueaban los ranchos de ganado.

Respuesta: a) Naturalmente, atacaron a los indios que habían firmado la paz.

A la gente de Colorado les molestaba que los cheyenne y los arapaho hubieran firmado la paz antes de darles tiempo a apresarlos y matarlos, por lo que Chivington decidió matarlos de todas formas, y se dirigió hacia el campamento indio de invierno de Sand Creek.

Acordaos que mataron a mujeres y niños

Y se lanzaron al ataque.

¿Cómo recordaron los soldados que habían «matado a mujeres y niños»? Pues asesinando a mujeres y a niños, ¡naturalmente!

Algunos soldados se horrorizaron ante aquella masacre. Uno escribió:

> *A las mujeres y a los niños les arrancábamos las cabelleras y les vaciábamos el cerebro. Con los cuchillos, nuestros hombres abrían a las mujeres y golpeaban a los niños: les golpeaban la cabeza con los rifles y les hacían saltar el cerebro por los aires. Laceraban los cuerpos en todas las formas posibles.*

Otro contó:

> *Recuerdo a un niño pequeño, de unos tres años, lo suficiente mayorcito para andar por el suelo. Su familia ya se había ido y el pequeñín los seguía.*

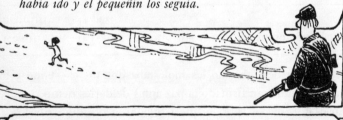

> *Iba completamente desnudo. Vi que un hombre se apeaba de su caballo, sacaba el rifle y disparaba a unos 75 metros. No le dio al niño.*

¡BANG!   ¡ZIS!

¿Una victoria gloriosa? Con los cuchillos, los soldados arrancaron las cabelleras de todos los hombres, mujeres y niños muertos y los desfiguraron de una forma horrible.

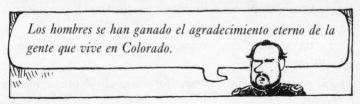

Los hombres se han ganado el agradecimiento eterno de la gente que vive en Colorado.

Las atrocidades se sucedían. A eso se le llama «venganza». Decide tú mismo, quién era más culpable.

¿Qué harías tú?

¿Habrías podido vivir en las llanuras americanas hace 130-150 años? A continuación te presentamos varios datos reales. ¿Qué habrías podido hacer, si hubieses estado allí?

1 Estás combatiendo, cuando un amigo te da una palmada en el hombro, señalándose la boca. Una flecha le ha alcanzado y se le ha clavado en la lengua. ¿Qué haces para ayudarlo?

a) Le das una aspirina para calmarle el dolor.

b) Pese al terrible dolor que siente, lo trasladas a lo largo de 65 km, a donde está el médico más cercano.

c) Le cortas la lengua.

¿UN PIERCING EN LA LENGUA? AHORA NO ES EL MOMENTO PARA MODAS, SOLDADO.

2 Has llevado a cabo una carnicería, pero quieres dejar un mensaje claro a tus enemigos, ¿cómo lo haces?

a) Les dejas una nota en la que les dices: «Si no nos dejáis en paz, esto es lo que os sucederá».

b) Entregas los cadáveres al campamento enemigo y les dices: «Esto es lo que os sucederá, si os metéis con nosotros.»

c) Arrancas los ojos de las víctimas y los depositas sobre las rocas que rodean el campo de batalla.

3 Has disparado y apuñalado a un enemigo. Cuando piensas que está muerto y empiezas a arrancarle la cabellera, él se incorpora y te pide clemencia. ¿Qué haces?

a) Le dices: «Lo siento» e intentas volverle a colocar bien la cabellera.

b) Lo sueltas, ya que de todas formas probablemente morirá de las heridas.

c) Le disparas en la cabeza, para poder terminar de arrancarle la cabellera tranquilamente.

4 Eres una mujer india y tu poblado está siendo atacado por unos soldados. ¿Qué puedes hacer para ayudar?

a) Esconderte en una tienda y entretener a los niños jugando a «Veo, veo».

b) Colocarte detrás de tu marido guerrero y pasarle las flechas.

c) Agarrar un arma y arrancar la cabellera de todos los soldados que matas.

5 Eres un comandante del ejército y tu campamento está siendo atacado. ¿Qué puedes hacer para evitar que las mujeres y los niños sean apresados y torturados?

a) Rendirte para que el enemigo trate bien a las mujeres y a los niños.

b) Poner a las mujeres y a los niños en un lugar seguro del campamento, para que no los puedan apresar hasta que todos los defensores hayan muerto.

c) Esconderlos en el almacén de pólvora. Si pierdes la batalla, enciendes la pólvora y haces volar por los aires a las mujeres y los niños.

6 Una serpiente de cascabel muerde a un amigo en el dedo. Morirá si el veneno se extiende por todo su cuerpo. ¿Qué haces para ayudarlo?

a) Vendarle el dedo.

b) Chuparle el dedo para quitarle el veneno.

c) Cortarle el dedo.

Respuestas: Todas las respuestas **a)** valen un punto, las **b)**, dos puntos y las **c)**, tres puntos. Empieza a sumar.

6-10 Eres demasiado bueno para participar en las guerras indias. No te muevas del siglo XXI y no toques nada que sea más afilado que las agujas de hacer punto.

11-15 Eres un poco fanfarrón, ¿verdad? Los niños de la guardería municipal probablemente se esconden cuando te ven por la calle. Pero en la época de las guerras indias, no habrías durado demasiado.

16-18 ¡Caramba! Espero no encontrarme contigo una noche oscura. Eres duro como un garbanzo del comedor escolar y casi tan peligroso.

¿La verdad? Todas las respuestas **c)** sucedieron en realidad. Eso es lo que ocurrió:

1 El capitán Henry Palmer describió así cómo había atendido a un soldado en 1865:

> *La punta de una flecha le había entrado por la boca abierta y se le había clavado en la raíz de la lengua. Como no teníamos ningún médico con nosotros, decidimos que, para sacarle la flecha de la boca, debíamos cortarle la lengua y eso hicimos.*

¿Cuál es la moraleja? Si alguna vez entras en combate, mantén la boca cerrada.

2 En la matanza de Fetterman de 1866, una tropa de soldados cayeron en una trampa y fueron exterminados. A las víctimas los despedazaron y les arrancaron los ojos, el cerebro
y los intestinos, que luego esparcieron sobre las rocas. Sólo
dejaron intacto el cuerpo de un soldado: era el del joven que
tocaba la corneta, Adolph Metzler. Un soldado contó:

> *Nuestro corneta era famoso por su valentía. Había ma-*
> *tado a varios indios golpeándoles la cabeza con su instru-*
> *mento. Luchó con tanta bravura, que tuvo el honor de*
> *que los indios dejaran intacto sus restos y los cubrieran*
> *con una piel de bisonte.*

AL VALIENTE
CORNETA,
UNA MANTA
DE BISONTE

¡Claro que si en lugar de la corneta, hubiese utilizado una
rifle, tal vez hubiese sobrevivido! No lo intentes con la trom-
peta de la orquesta de la escuela, la dejarías llena de abo-
lladuras.

3 El teniente William Drew contó que un indio «muerto»
resucitó y pidió que le dejaran la cabellera. Drew dijo:

> *Los indios creen que si un guerrero pierde su cabellera, no po-*
> *drá ir a las Felices Tierras de Caza (el cielo), cuando mue-*
> *ra. Los indios están dispuestos a perder la vida sin mostrar*
> *miedo, pero siempre intentan salvar la cabellera.*

¡Acuérdate de esto la próxima vez que te corten el pelo! Si te
atropella un autobús al salir de la barbería, no irás al cielo.

4 El capitán Henry Palmer dijo que sus soldados habían recibido la orden de no matar mujeres ni niños, pero que debían matar a todos los indios varones mayores de 12 años. ¡Qué considerado era el capitán, ¿verdad?! A lo que iba, el capitán añadió que les resultó muy difícil evitar matar a las mujeres.

> *Por desgracia para las mujeres y los niños, nuestros hombres no tenían tiempo de apuntar bien. Las balas y las flechas de ambos bandos volaban por doquier. Las indias, los niños, así como los guerreros, caían entre los muertos y los heridos. Muchos de los miembros femeninos de la tribu luchaban con tanta bravura como sus salvajes maridos.*

A los que habéis visto a vuestras compañeras de clase jugar al hockey, no os costará creerlo.

5 En 1886, un oficial escribió:

> *El coronel dio la orden de meter a las mujeres y a los niños en el almacén de la pólvora. Si perdían, él mismo haría estallar el almacén y les quitaría la vida, antes de que los indios apresaran a alguno de ellos con vida.*

PAPÁ DICE QUE SI VIENEN LOS INDIOS, TODOS IREMOS A UN LUGAR LLAMADO «FOSFATINA».

6 Will Comstock luchaba contra los indios. En una revista americana en una ocasión se publicó lo siguiente:

Los indios conocen a Comstock con el nombre de «Bill Medicina», porque, según cuenta Comstock, le cortó un dedo a un hombre al que había mordido una serpiente de cascabel. Gracias a esto, el hombre salvó la vida y él se ganó el respeto de los indios arapaho.

Imagínate que fueras a la casa de Bill Medicina a tomar el té y galletas. ¿Qué harías si te ofreciera barquillos cubiertos de chocolate?

Poesía de las praderas

Custer se dispuso a ganar fama y fortuna matando indios. El ejército decía que estaba allí para controlarlos, pero si los indios le ocasionaban problemas, los «controlaba» asesinándolos. Una larga melena rubia daba a Custer el aspecto de un verdadero héroe. ¡Lástima que el cerebro que tenía bajo la cabellera rubia fuese tan pequeño!

En 1876, Custer dirigió a sus hombres en un ataque a gloria o muerte contra los indios sioux acampados a orillas del río Little Big Horn. Fue una locura. Encontraron la muerte y también la gloria, pues quedaron inmortalizados en un poema.

Lo interesante es que los indios se morían de ganas de cortar con sus hachas de guerra la famosa y larga melena rubia del general George Custer, pero antes de salir, éste se había hecho cortar el pelo. Así pues, si bien a muchos de sus soldados les arrancaron la cabellera después de la masacre, a Custer no. El corte de pelo confundió a los indios y éstos no lo reconocieron.

El corte de pelo del general Custer

El general Custer se fue a pasear
y varios rifles y hombres se quiso llevar,
pero del río Little Big Horn
ninguno de ellos regresó,
(todo el mundo la palmó)

El general Custer tenía un explorador
quien le avisó: «De los sioux oigo el clamor»,
Custer dijo: «Estos no verán la luz de otro día,
pero antes he de ir a la barbería.
(un corte de pelo quería)

El general Custer dijo: «soy un triunfador.
Volveremos a cenar, poned la carne en el asador.»
Pero cuando alcanzaron los tipis de los indios,
vieron bravos guerreros en todos los sitios.
(¡qué fastidio!)

Y Custer luchó y a su ejército sacrificó
a orillas del río Little Big Horn.
Pero Custer el cuero cabelludo conservó
el corte de pelo se lo salvó
(¡pero de la muerte no se libró)

¿Sabías que?

El general Custer no fue sólo famoso por sus cabellos largos, sino que también lo era por su trasero. Custer era un jinete muy fuerte y recorría largas distancias a caballo, por lo que los indios lo llamaban «culo duro».

El fatídico destino de Wounded Knee

Tras la derrota de Custer en Little Big Horn, el ejército se volvió más cruel, si cabe. Caballo Loco fue apresado y asesinado un año después de la muerte de Custer.

Los desesperados indios de Toro Sentado tenían la extraña creencia de que si realizaban la «danza del espíritu» y se ponían las «camisas del espíritu» mágicas, las balas del ejército no les podrían hacer ningún daño.

En 1890, el jefe Toro Sentado volvió de Canadá, donde se había refugiado. Fue apresado, pero durante su detención fue asesinado. (¡A lo mejor no llevaba puesta su camisa del espíritu!)

Más adelante, en diciembre de ese año, el jefe Pie Grande decidió rendirse ante el ejército y, junto a su tribu, fueron llevados a un lugar llamado «Wounded Knee». Lo que sucedió después fue la mayor de las matanzas de indios.

Nadie está seguro de lo que ocurrió, pero parece ser que pasó lo siguiente:

Desde entonces, los indios jamás volvieron a ser una gran fuerza.

¿Sabías que?

El 28 de febrero de 1973, los miembros del Movimiento de los Indios Americanos ocuparon el poblado de Wounded Knee e instaron al gobierno a repetir la masacre. Discutieron durante 72 días, pero al final se rindieron. Lograron una gran difusión de los problemas de los indios sioux. Dos de ellos fueron asesinados y muchos otros resultaron heridos al luchar contra los agentes de la ley.

El codiciado oro

La mayor fiebre del oro en la historia de Estados Unidos empezó con el descubrimiento del preciado metal en Sutter's Mill, en el American River, al norte de California, el 24 de enero de 1848.

Cuando corrió la voz por San Francisco, miles de ciudadanos y de personas de otras partes de California acudieron en masa a la región. Los que allí fueron recibieron el nombre de «forty-niners» (del cuarenta y nueve), porque llegaron en 1849. (Tardaron mucho en llegar porque todavía no se habían inventado los coches ni los aviones.) La población de California pasó de aproximadamente 14.000 habitantes en 1848 a 100.000 en 1850.

Durante la fiebre de oro de California, los buscadores de oro llegaban allí principalmente de tres maneras:

1. SE SUMABAN A UNA CARAVANA DE CARROMATOS, LO CUAL ERA LENTO, POLVORIENTO Y DURO.

2. DOBLABAN EL CABO DE HORNOS (LA PUNTA SUR DE AMÉRICA) PARA DIRIGIRSE A SAN FRANCISCO, LO CUAL ERA CARO Y MAREABA.

3. IBAN EN BARCO HASTA PANAMÁ, LUEGO CRUZABAN PANAMÁ EN MULAS Y FINALMENTE TOMABAN OTRO BARCO HACIA CALIFORNIA, LO CUAL ERA PELIGROSO.

SAN FRANCISCO

USTED ESTÁ AQUÍ

PANAMÁ

CABO DE HORNOS

El problema del método 3 era que los bandidos de Panamá asaltaban a los que salían en busca de oro. (Sí, tienes razón, habría sido más lógico robarles cuando estuvieran de vuelta y fueran cargados de oro, pero los bandidos no eran tan listos como tú.)

Un hombre de negocios contrató a un pistolero tejano llamado Randy Runnels, quien formó a un grupo de muchachos malos que zurraban a los bandidos. Se llamaban los «Vigilantes de

Nueva Granada». Esta banda capturó a 78 bandidos panameños y los ahorcó. Dejaron los cadáveres colgando junto al camino para que sirvieran de escarmiento a los demás.

Ciudades del terror

El viaje hacia California no era lo unico peligroso. Cuando llegabas allí, te podían robar todo el equipaje o te podían matar por tu parcela de terreno. Como los sheriffs y los jefes de policía, llamados marshals, escaseaban, los mineros se tomaban la justicia por su propia mano.

Había un lugar especializado en ahorcar a los infringidores de la ley. ¿Sabes cómo se llamaba?

que significa «ciudad del ahorcado». Pero no era el único lugar con un nombre peculiar. También estaban:

que significa «improvisado» y estaba situado en las inmediaciones de Sierra.

que significa «la rampa del whisky», muy divertido, pero no convendría acabar en

«llano de la pobreza», pero si fueses a parar allí, sería mejor que te dirigieras hacia

«barranco de la última posibilidad»

Busca el lugar

En EEUU hay muchos lugares que tienen nombres peculiares.
Aquí tienes diez, de los que hay uno que nos hemos inventado.
¿Cuál es?

1 Pee Pee «pipí» (Ohio)
2 Looneyville «ciudad disparatada» (Texas)
3 Peculiar (Misuri)
4 Eek «Uy» (Alaska)
5 Greasy Corner «Rincón mugriento» (Arkansas)
6 Dog's Breath «Aliento de perro» (California)
7 Bowlegs «Patas arqueadas» (Oklahoma)
8 Bug «Bicho» (Kentucky)
9 Who'd A Thought It «Quién lo habría pensado» (Alabama)
10 Shittim Gulch «El barranco de la mierda» (Washington)

Respuesta: Número 6 es el único nombre inventado, ¡los demás existen de verdad!

Te imaginas que dijeras:

¡DISCULPE SEÑOR, TENGO QUE IR A PIPÍ!

El profesor podría responder:

ESTO ES LO QUE SUCEDE CUANDO TOMAS DEMASIADO «CAFÉ CALIENTE» (HOT COFFE-MISISIPÍ). SIÉNTATE SOBRE TU «TRASERO SUPERIOR» (SUPERIOR BOTTOM -VIRGINIA OCCIDENTAL) Y NO ME «AVERGÜENCES» (EMBARASS-WISCONSIN)

Mala suerte para los animales

En la historia de EEUU casi siempre han sufrido los inocentes: las mujeres, los niños... y los animales. Aquí tienes algunos casos dramáticos.

1 Palomas desplumadas Cuando en 1620 los Peregrinos desembarcaron, debía de haber aproximadamente nueve MIL MILLONES de aves del género *Ectopistes migratorius*, conocidas como «palomas pasajeras». Según un escrito de 1770, había tantas aves que un cazador abatió 125 de un solo disparo de trabuco.

Las mataron para hacer pasteles de carne o pienso para los cerdos hasta que a principios del siglo XX ya casi estaban extinguidas. El 1 de septiembre de 1914, la última de ellas cayó desde lo alto en el zoo de Cincinnati.

2 El maltratado bisonte En 1830, había 70 millones de bisontes paseando por las llanuras de Norteamérica. Sesenta y cinco años más tarde había sólo 800, y muchos de ellos vivían en parques zoológicos. No olvidemos que muchas tribus indias vivían del bisonte y, al exterminarlos, los norteamericanos acabaron con los indios sin tener que matarlos: de dos millones pasaron a ser 90.000. Si había menos indios, éstos necesitaban menos tierras, por lo que EEUU les quitó otros treinta y cinco millones de hectáreas de tierra entre 1887 y 1934. Estados Unidos firmó 400 tratados con los indios durante esos años y no cumplió ni uno de ellos, lo cual, como el viejo chiste de bisontes, no tiene ninguna gracia.

3 Ovejas chamuscadas Los rancheros y sus vaqueros acusaban a los granjeros que tenían rebaños de ovejas de ensuciar los abrevaderos para que su ganado no pudiese beber, e iniciaron una «guerra» para expulsar a los ovejeros. En esta guerra, dinamitaban a las ovejas, les prendían fuego y las echaban a los ríos. A otras las mataban de un disparo, acuchilladas o envenenadas con salitre (que resultaba mortal para las ovejas, pero no para el ganado vacuno), o las despeñaban por un acantilado.

Hasta que cayeron en la cuenta de que las ovejas podían pastar en tierras inadecuadas para las vacas. Así pues, los rancheros pudieron criar vacas y también ovejas y ¡se acabó el problema!

4 Mulas masacradas En la década de 1880, el ejército de EEUU utilizó mulas para acarrear provisiones durante las guerras indias. Naturalmente los indios disparaban a las mulas y las mataban. Los soldados solían decir: «Muchas gracias» y luego se comían la mula. El cadáver de una mula era además un buen lugar donde esconderse y apoyar el rifle. Si el ataque duraba varios días, como ocurrió en la batalla de Arickaree de 1868, la carne de la mula se pudría y se llenaba de gusanos. John Hurst fue un explorador del ejército en Arickaree ydescribió así el placer de comer carne de mula.

> *Para comer no teníamos otra cosa que mulas y caballos muertos que se estaban pudriendo a nuestro alrededor. Cuando cortábamos esa carne, el hedor era insoportable y se veían regueros verdes en la carne. La única forma en que podíamos hacerla comestible era esparciendo pólvora encima de la carne mientras se cocía para que desapareciera en parte el hedor.*

¡CARAMBA! ¡DEMASIADA PÓLVORA!

La próxima vez que tu madre te dé salchichas baratas para cenar, rocíalas con pólvora. Aunque su sabor no mejore, al menos disfrutarás de unas salchichas explosivas.

5 Desafortunados caballos En 1862, dos regimientos rebeldes de Misisipí y Georgia se encontraron en Virginia y abrieron fuego. Bajo la lluvia y la confusión, la única víctima fue un caballo. Pero los caballos no sufrían solamente en el campo de batalla. A principios del siglo XX, morían 15.000 caballos al año en las calles de Nueva York, muchos exhaustos por el trabajo. A veces los dejaban pudrirse durante días, porque sus propietarios se iban y abandonaban los cadáveres. Éste probablemente es el origen de este chiste tan malo:

¡A VER SI ADIVINAS QUÉ TIENE CUATRO PATAS, UNA COLA Y CANTA!

UN CABALLO MUERTO

6 Una vida de perros Los poblados indios de las Llanuras solían estar llenos de perros. Por supuesto servían de perros guardianes, pero también los utilizaban para otra cosa: para comer. Un soldado visitó la tienda de un jefe y describió el festín con que lo homenajearon.

> En el centro del círculo que formábamos había tres perros con el pelo chamuscado. Los habían asado enteros, con las vísceras y todo. Esta delicia india estaba bañada en salsa de grasa de perro.

¿Te imaginas a ti mismo entrando en tu tipi para merendar?

7 Malos tiempos para las serpientes de cascabel

Las serpientes de cascabel tienen un cascabel en un extremo del cuerpo y un par de peligrosos colmillos en el otro. No te gustaría agitar uno de esos sonajeros, ¿verdad? Pues los indios lo hacían. Una revista norteamericana describió lo que hacían a las pobres culebras.

Cogen a la serpiente de cascabel y la encierran en una jaula. Luego la hacen enfadar azuzándola con unos palos. En uno de esos palos atan un trozo de hígado de ciervo, al que el reptil hunde sus colmillos venenosos. Luego mojan la punta de una flecha con el veneno. Así es cómo los indios fabrican sus flechas con la punta envenenada.

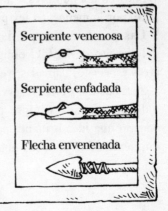

Serpiente venenosa

Serpiente enfadada

Flecha envenenada

Si se te clavara una de esas flechas en el culo, te dolería de veras y el único remedio sería que un amigo chupara el veneno.

¡JACK, AMIGO MÍO! ¡TÚ PUEDES SALVARME LA VIDA!

¡PERDONA! PERO CREO QUE NO TE CONOZCO.

8 Los sufridos perros callejeros En la década de 1860, el inventor Thomas Edison intentaba vender sus circuitos de «corriente continua». Su gran rival era George Westinghouse, que había comprado el sistema de «corriente alterna» de Tesla. Edison quería demostrar lo peligroso que podía ser la corriente alterna, para lo cual pagaba a niños para que le buscaran perros callejeros, a los que les aplicaba descargas eléctricas hasta que morían. La silla eléctrica, uno de sus inventos, era igual de cruel, sobre todo lo fue para su primera víctima, William Kemmler, al que le aplicaron corriente alterna durante 50 segundos. El pobre gritó y se quemó un poco, pero no murió. Para matarlo, tuvieron que darle una descarga más potente. A pesar de que lo dejaba todo pringoso, muchos estados del país la utilizaron. En algunos estados todavía hoy en día hombres y mujeres mueren en la silla eléctrica... pero, por lo menos, ¡la ley prohíbe utilizarla para matar perros!

¡HORRIBLEMENTE ESTREMECEDOR! ¡VAMOS A PROBARLO CON LA GENTE!

9 Las penas de los ponis En la década de 1870, las fuerzas del ejército de EEUU obligaron a los indios a vivir en unas áreas especiales llamadas «reservas». Los indios querían irse de vez en cuando de las reservas para ir a cazar el bisonte, sobre todo porque casi siempre pasaban hambre. Al ejército se le ocurrió una idea brillante para impedir que los indios escaparan: ¡exterminaron a sus ponis!

UNA GUERRA INCIVIL

En 1808 el autor William Jenks dijo:

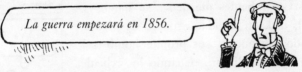

> *Los estados del norte se enfrentarán a los del sur y el motivo será la esclavitud. Los estados del norte derrotarán a los exhaustos estados del sur en una guerra que durará cuatro años. (...) Tras la guerra, nacerán unos nuevos Estados Unidos de América. (...)*

Todas estas cosas sucedieron 53 años más tarde, cuando Jenks llevaba mucho tiempo muerto. Se equivocó en un pequeño dato:

> *La guerra empezará en 1856.*

En realidad, la guerra empezó en 1861, pero la violencia comenzó... adivina cuando... Efectivamente.

Cronología de una guerra incivil

1856 Los habitantes del estado de Misuri quieren mantener la esclavitud y atacan a Kansas, que no acaba de decidirse. El famoso John Brown odiaba a los dueños de esclavos. Hizo pedazos a los atacantes de Misuri, aduciendo que tenía a Dios Todopoderoso de su parte.

1859 John Brown ataca al ejército de EEUU en Harper's Ferry, Virginia. Los esclavos no se alzan para apoyarlo, por lo que es apresado y ahorcado. Sus seguidores dicen que murió por sus congéneres como Cristo, pero éste último no iba por ahí despedazando a sus enemigos.

1860 Abraham Lincoln es elegido 16º presidente: pretende abolir la esclavitud, lo cual no complace en absoluto a los rebeldes del sur.

1861 Estalla la guerra cuando los rebeldes atacan Fort Sumter, Carolina del Sur.

1862 Los rebeldes, desesperados, obligan a los hombres a alistarse en el ejército, mientras el presidente Lincoln proclama: «Todos los esclavos son libres». Los esclavos negros huyen para unirse a Lincoln, pero los blancos no quieren luchar con ellos.

1863 Los rebeldes pierden a su mejor general, Jackson, apodado «pared de piedra», cuando, sin querer, sus propios hombres lo matan de un disparo. Cuando los rebeldes del sur intentan invadir el norte, son aplastados en Gettysburg y ya no volverán a recuperarse.

1864 7000 hombres mueren en 20 minutos de combate en Cold Harbor. Las tropas del norte del general Sherman inician la devastadora «marcha hacia el mar» para destruir a los rebeldes del sur.

1865 Los rebeldes permiten a los esclavos negros luchar con ellos, pero la ingrata población escupe a los soldados negros y se burla de ellos. Los rebeldes se rinden en abril, pero, antes de una semana, el presidente Lincoln es asesinado por un actor llamado John Wilkes Booth.

80

Los yanquis y los rebeldes

Los habitantes del norte se llamaban a sí mismos Billy Yank (Hank Yank habría estado mejor porque por lo menos habría rimado). ¿De dónde procedía la palabra «yank»?

Los primeros colonos británicos se habían burlado de los colonos holandeses de Nueva York. Pensaban que los holandeses, fabricantes de quesos, eran muy ridículos. Llamaban a todos los holandeses «Juan Queso», que en holandés es «Jan Kees», pronunciado «yanquis».

El nombre cuajó entre los habitantes de los estados del norte, al igual que un caramelo toffee se pega a la dentadura postiza de la abuela. Así, los estadounidenses del norte se convirtieron en Jan Kees o yanquis.

Fig III
quesos · yanquis · quesos yanquis · yanquis saciados de queso

Como la gente del sur quería rebelarse contra los yanquis, se hicieron llamar Johnny Rebels o, abreviándolo, Johnny Rebs (más fácil de deletrear).

Una conversación común entre los yanquis del norte y los rebeldes del sur era:

¡HAZ LO QUE TE DIGO; SI NO, TE MATO!

¡SI TÚ ME MATAS, YO TAMBIÉN TE MATO!

Eso significaba la guerra: la guerra civil de EEUU conocida como la guerra de Secesión.

¿Sabías que?

Abraham Lincoln estaba dispuesto a ir a la guerra para abolir la esclavitud en los estados sureños de EEUU, pero, aún así, era racista. Quería que los negros fuesen *libres*, pero no *iguales*. Decía:

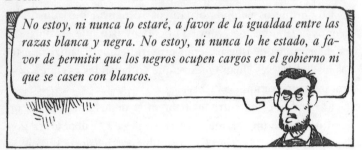

No estoy, ni nunca lo estaré, a favor de la igualdad entre las razas blanca y negra. No estoy, ni nunca lo he estado, a favor de permitir que los negros ocupen cargos en el gobierno ni que se casen con blancos.

¡Muy mal!

Tiros errados

Tanto los yanquis como los rebeldes demostraron tener mala puntería desde el primer día de la guerra. Los rebeldes atacaron Fort Sumter, Charleston, y utilizaron cañones para eliminar a sus defensores. El rebelde Edmund Ruffin hizo el primer disparo y 34 horas más tarde ya habían disparado 4.000 balas contra el fuerte. ¿Cuántos defensores yanquis murieron? ¡Ninguno! Sin embargo, los yanquis del fuerte se rindieron y «saludaron» a los rebeldes con 100 salvas de cañón. Cuando hicieron el disparo nº 50, consiguieron algo que los rebeldes no habían logrado con 4.000: ¡mataron a uno de los suyos!

Uno a cero a favor de los rebeldes.

Al final, los rebeldes perdieron la guerra de Secesión y Edmund Ruffin no lo pudo soportar. En junio de 1865, se disparó un tiro en la cabeza y, aunque parezca extraño, no falló.

Resulta sorprendente que, en la guerra de Secesión, murieran más de medio millón de personas, teniendo en cuenta la mala puntería de los soldados. La mayoría eran incapaces de darle a un granero, aún estando dentro de él. El general Ulysses S. Grant se quejó:

> *La mayoría de mis soldados tienen una formación tan deficiente que ni siquiera saben cargar el rifle.*

Y esto era cierto. Después de la batalla de Gettysburg, había 37.000 rifles abandonados en el campo.

- 24.000 todavía estaban cargados.
- 18.000 tenían por lo menos dos balas en el cañón.
- 6.000 tenían hasta diez balas atascadas.
- 1 rifle estaba cargado con 24 balas y pólvora.

(Si el soldado de las 24 balas hubiese apretado el gatillo, sin duda habría matado a alguien: a sí mismo. El rifle habría explotado.)

Lucha como un soldado de la guerra de Secesión

Representar una batalla de la guerra de Secesión es fácil, porque casi todas se libraban de la misma forma.

Necesitas:
Dos ejércitos: por ejemplo, los chicos de tu clase contra las chicas.
Dos generales, uno en cada lado.
Armas: las pistolas de agua van bien y son mortíferas.
Para luchar:
Primero elige el campo de batalla. (Un terreno de juego es mejor que el patio, porque en la tierra no se ve la sangre.)
Los generales mandan a sus ejércitos ponerse en fila.
Los generales quedan a salvo en la parte de atrás y dan la orden de avanzar a sus tropas.
Cuando las dos líneas están a tiro, abren fuego.

Puntuación:
El bando que no sale corriendo gana.

¡Y eso es todo! ¡Incluso tu profesor podría haber sido un general de la guerra de Secesión!

Los inventos de la guerra de Secesión

Las guerras suelen inspirar nuevas y terribles formas de luchar. ¿Cuáles de los siguientes inventos nacieron durante la guerra de Secesión? Responde verdadero o falso.

Respuestas:

1 Verdadero. Los yanquis los utilizaban para detectar los movimientos de los rebeldes. Si los que iban en el globo se mareaban, siempre podían vomitar sobre las cabezas de los enemigos.

Fig IV Accidentes aéreos de la guerra de Secesión

bala   caca de pájaro   vómito de globo

2 Verdadero. En ambos bandos había espías que interceptaban los cables telegráficos para descubrir las estrategias del enemigo, al que, además, enviaban información falsa.

3 Verdadero. Daban café instantáneo a los soldados yanquis, quienes lo detestaban. Puede que éste sea el origen del viejo chiste:

¡ESTE CAFÉ SABE A BARRO!

¡ES FRUTO DE LA TIERRA!

4 Verdadero. El *Monitor* fue el primer acorazado yanqui. Este gran invento iba equipado con váteres con cisterna. Se enfrentó al *Virginia*, el único acorazado de los rebeldes, en una batalla que duró cuatro horas. Los barcos eran fuertes, pero las balas que disparaban eran demasiado débiles. Ninguno de los dos pudo hundir al contrario, por lo que la batalla terminó en empate.

POR LO MENOS GANAMOS LA BATALLA DEL INODORO

¡BUUM!

¡BOOM!

¡FUUUSH!

5 Verdadero. También llevaban los soldados a los hospitales, después de la batalla. Los trenes se utilizaban además para transportar los pesados cañones al campo de batalla, evitando que los pobres caballos tuvieran que arrastrarlos. Los cañones iban en tren en lugar de a caballo.

6 Verdadero. El 14 de abril de 1865, Abraham Lincoln recibió un disparo en la cabeza mientras miraba una obra de teatro. Este hecho dio origen a un viejo chiste:

7 Verdadero. Algunas de las primeras fotografías fueron sacadas en combate, pero en la mayoría de los casos, la fotos de la guerra de Secesión estaban trucadas. James Gibson y Alexander Gardner tomaron fotografías después de la batalla de Antietam. Para añadir dramatismo a sus fotos, movieron los cadáveres, les colocaron bien los brazos, las piernas y la ropa y les dieron armas. (Llevaban un mosquete, que aparece en muchas fotos.) Todo era un montaje.

8 Verdadero. El general yanqui Gabriel James Rains inventó unos torpedos. No eran como los torpedos modernos, sino que más bien parecían latas flotantes llenas de pólvora. Al terminar la guerra, Rains aseguraba que sus torpedos habían hundido 58 barcos rebeldes. Hacían estallar esos torpedos desde la playa por medio de unos cables eléctricos.

9 Verdadero. El 17 de febrero de 1864, el submarino rebelde *Hunley* cruzó el puerto de Charleston por debajo del agua para atacar el barco yanqui *Housatonic*, con un torpedo de 50 kg. El torpedo explotó y el *Housatonic* se hundió, pero, lamentablemente, también se hundió el submarino. Los yanquis construyeron su propio submarino (accionado por marineros provistos de remos), y se hundió antes de poder atacar a ningún barco rebelde. Le llamaban el *Alligator*.

10 Falso, ¡pero casi verdadero! Lincoln quería que los yanquis construyeran otro submarino después del hundimiento del *Alligator*. El inventor Pascal Plant propuso un submarino accionado mediante un cohete. La idea fue rechazada, pero animaron al inventor a crear un torpedo accionado por un cohete. El primer ensayo funcionó. El torpedo fue a parar a un terraplén de barro. En un segundo ensayo, el torpedo hundió la goleta *Diana* que, lamentablemente, era un barco yanqui. En el tercer ensayo, dispararon el torpedo y vieron que salía del agua, recorría 100 metros en el aire y caía de nuevo al agua. Sin embargo, el Departamento de la Marina de la Unión no lo consideró como un augurio de cómo terminaría la guerra, sino como una pérdida de dinero.

Unas armas sorprendentes

¿Quieres derrotar a tus peores rivales, pero no logras siquiera pasar por delante de ellos? ¿Por qué no intentas ir por DEBAJO de ellos? Cientos de mineros del carbón trabajaron para los yanquis. Éste era el gran plan:

Pero lo que sucedió *después* de la explosión fue que:

¡Lástima! ¡En su momento parecía una buena idea!

Los maltratados prisioneros

Eres soldado y pierdes una batalla. Lo bueno es que te cogen con vida y te envían a un «campamento» de prisioneros de guerra. Lo malo es que hay más posibilidades de que mueras en un campamento de prisioneros que en la batalla.

Un atisbo del infierno

En el campo de prisioneros de Elmira, Nueva York, aproximadamente un tercio de los prisioneros rebeldes murieron de hambre y enfermedades. El médico de campaña dijo a sus superiores:

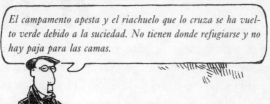

El campamento apesta y el riachuelo que lo cruza se ha vuelto verde debido a la suciedad. No tienen donde refugiarse y no hay paja para las camas.

Un prisionero rebelde de Texas escribió:

Si el infierno estuviera en la Tierra, éste sería la prisión de Elmira.

¡Pero no temas, los prisioneros rebeldes no morían en el anonimato! Un hombre de la zona levantó una plataforma delante del campamento y, por 10 centavos, la gente podía ir a contemplar los sufrimientos de los rebeldes.

El espantoso Adersonville

Los rebeldes infligían a los yanquis castigos similares.

- 41.000 soldados yanquis fueron enviados al campamento de los rebeldes de Andersonville. 13.000 murieron. A veces morían 100 en un día.
- Durante los primeros meses, los prisioneros no tenían herramientas para enterrar a los muertos.

- Sacaban todo el agua de un riachuelo, llamado Sweetwater (agua dulce), que además era la única cloaca. ¡Muy dulce! ¿Verdad?
- Casi no había espacio donde resguardarse del sol y de la lluvia, por lo que los prisioneros se asaban en verano y se helaban en invierno.
- Si cruzaban la «línea límite», situada a cinco metros del cercado, los mataban de un disparo.

ESTO SI ES UN LÍMITE ESTRECHO

Por si esto no fuese suficiente, un grupo de prisioneros llamados los «asaltantes», robaban, golpeaban y mataban a sus compañeros yanquis. ¡A eso llamo yo amigos! El jefe de los asaltantes era Willie Collins, un matón de metro noventa. Finalmente, con la ayuda de guardias rebeldes, otro grupo de prisioneros, conocidos como los «regulares», se opuso a los asaltantes. Willie Collins fue juzgado y condenado a muerte.

Collins fue ahorcado, pero la vieja soga se rompió. Lo ahorcaron una segunda vez. Una multitud de 26.000 prisioneros fue a ver la ejecución de Collins y otros cinco asaltantes. Algunos espectadores repetían: «¡Que mueran, que mueran, que mueran! Un prisionero se balanceó durante 27 minutos antes de morir.

TODAVÍA NO,
TODAVÍA NO,
TODAVÍA NO.

Soluciones bestiales

Los prisioneros comían muy mal y estaban expuestos a enfermedades mortales. Si intentaban huir, los mataban de un disparo. Un grupo de prisioneros yanquis encontraron un «método de supervivencia», como habría informado el periódico local:

PROTEJAN A SUS ANIMALES DE COMPAÑÍA

Los habitantes de Richmond nos sentimos orgullosos de tener el campo de prisioneros de Belle Isle a las puertas de la ciudad. ¡Esos perdedores yanquis están allí para alegrarnos la vista!

Soldado controlado

Están rodeados de un terraplén de cien metros de altura y todo yanqui que intenta cruzarlo es fusilado al momento. Pero no todo el mundo está a salvo del perverso enemigo. La semana pasada se denunció la desaparición del perro del comandante del campo. Los silbidos de los prisioneros atrajerón al perro y el animal cruzó el terraplén y se adentró en el campo. No se ha vuelto a ver al perro. Los guardianes dijeron que más tarde vieron a los prisioneros disfrutando de un suculento estofado.

Desde entonces han desaparecido varios animales de compañía de la zona de Richmond. La Sra. Betty York, deshecha en lágrimas, dijo: «Mi pobre caniche probablemente esté en el puchero de algún yanqui». El sepulturero George Taylforth se quejó: «Temo que mi Buster ahora sea un pastel de carne de pastor alemán».

Así que, no dejen que sus perros salgan del jardín. Si tienen que salir, no los suelten de la correa. No queremos que nuestros amados animales llenen el vientre de los yanquis en forma de sopa de spaniel, cocido de collie o sabueso salteado, ¿verdad?

¡Estofado en potencia!

Las grandes fugas 1

Si estuvieses prisionero en uno de esos espantosos campos, seguro que desearías huir. Algunos adoptaron métodos muy simples para huir. El soldado rebelde J. Branch huyó de la prisión sobornando al guardia yanqui para que hiciera la vista gorda. El soldado se fue a casa andando hasta Tennessee. El soborno era de 7,50 dólares.

Las grandes fugas 2

En la cárcel de Libby, los prisioneros decidieron huir a través de un túnel, a pesar de que no tenían más que unas navajas para cavar.

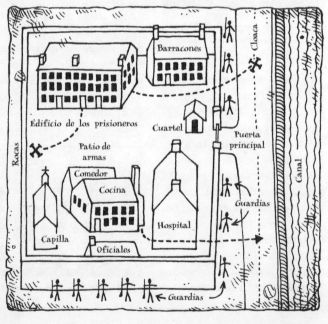

94

- El túnel 1 encontró roca sólida y tuvo que ser abandonado.
- El túnel 2 tenía que cruzar la cloaca por debajo de la calle que separaba la cárcel del canal, pero el túnel se inundó.
- El túnel 3 fue cavado en enero de 1864; empezaba detrás de los fogones de la cocina, bajaba por la chimenea y se adentraba en un sótano situado debajo del hospital. Desde allí tenía que continuar un túnel de 17 metros que tenía que avanzar por debajo de la calle fuertemente custodiada por guardias. Tardaron 17 días en hacerlo. La noche de la fuga, 109 hombres se metieron en el túnel bajando por la chimenea. Habían quitado los últimos metros de tierra, pero el túnel era demasiado corto y terminaba en medio de la calle.

Sin embargo, los guardias rebeldes quedaron tan sorprendidos que, incapaces de reaccionar, vieron que los prisioneros salían del agujero y huían en la noche.

De los 109, 58 fueron apresados de nuevo, dos se ahogaron, pero 49 llegaron a su casa. El que había planeado la fuga, el coronel Frederick Barteson NO logró huir, ¿por qué?

a) Tenía demasiado miedo a que lo atraparan y mataran.
b) Estaba demasiado gordo y no pudo bajar por la chimenea.
c) Se perdió.

Respuesta: b) ¡Al gordo de Freddy no le habrían venido mal unas cuantas lecciones de Santa Klaus!

Mujeres guerreras

La guerra de Secesión resultó ser muy dura para los soldados, pero mucha gente se olvida de que las mujeres también participaron en la guerra. Se estima que 400 mujeres, disfrazadas de hombres, lucharon en la guerra de Secesión, y otras mujeres combatieron de formas distintas.

Loreta Janeta Valazuquez

Identidad: Nacida en Cuba y criada en Nueva Orleans.

Ficha: – Loreta se hizo pasar por el teniente Harry T Bulford, luchó por los rebeldes en la Primera Batalla de Manassas.

– Llevaba una barba postiza y una estructura de alambre bajo el uniforme que le daba forma de hombre.

– Tenía un criado negro llamado Bob, que no sabía que su dueño era una mujer.

– Más tarde, Loreta se vistió de mujer y se fue a Washington como espía y allí conoció al presidente Lincoln.

Final: Volvió al campo de batalla, su primer amor, y fue herida.

Belle Boyd

Identidad: belleza rebelde de 17 años oriunda de Virginia.

Ficha: • Cuando estalló la guerra, Belle izó una bandera rebelde en su casa. Cuando un soldado yanqui intentó quitarla, ella lo mató de un tiro.

• Belle aprovechó su belleza para engatusar a los soldados yanquis, quienes le contaban sus secretos cuando estaban en sus brazos.

• En 1862 fue detenida y la pusieron en un tren con destino a Baltimore. Durante todo el viaje, agitó una bandera rebelde por una ventana. En Baltimore la encerraron en el hotel de la ciudad. Cantaba canciones rebeldes noche y día. Al final la devolvieron al sur, probablemente para quitársela de encima.

• Se embarcó en un barco espía pero la detuvieron de nuevo. Sin embargo logró persuadir a un marinero, que le proporcionó el uniforme de un soldado, y huyó primero a Canadá y luego a Inglaterra (¡donde se casó con el marinero!)

Final: Volvió a EEUU y montó un espectáculo con el que recorrió todo el país contando sus aventuras. Murió en 1900.

Loca Bet y Mary Elizabeth

Identidad: *Elizabeth van Lew (también conocida como Loca Bet) vivía cerca de la prisión de Libby, Richmond. Mary Elizabeth Bowzer era una esclava de la familia van Lew.*

Ficha: • *Cuando Loca Bet perdió a su padre, liberó a los esclavos de la familia. Al comienzo de la guerra de Secesión, se manifestó abiertamente a favor de los yanquis, pese a encontrarse en tierras rebeldes. Naturalmente, encerraron a Loca Bet.*

• *Pese a todo, Loca Bet conseguía pasar mensajes secretos dentro y fuera de la cárcel de Libby, utilizando platos con un doble fondo o escribiéndolos en clave, agujereando las páginas de los libros.*

• *Su mayor éxito se lo debió a su antigua esclava, Mary Bowzer, a quien había «cedido» al presidente de los rebeldes. Mary Bowzer sabía leer y escribir, era lista y sus nuevos propietarios jamás sospecharon que ayudase a Loca Bet en sus actividades de espionaje.*

• *Mary Bowzer espiaba las reuniones, copiaba los mensajes y miraba los mapas. Luego pasaba toda la información a los yanquis. Además, desenterraba a los soldados y enviaba los cadáveres a sus familias.*

• *Mary Bowzer incluso prendió fuego a la casa del presidente de los rebeldes. Al final de la guerra, cuando el presidente rebelde intentó huir, Mary Bowzer robó el caballo y la silla de la mujer del presidente para impedir que escaparan.*

Final: *Es probable que Loca Bet muriera en 1900. No se sabe cuándo murió Mary Elizabeth.*

Sara Emma Edmonds

Identidad: mujer canadiense, también conocida como Frank Thompson.

Ficha: ~ Sara Emma huyó de su casa porque no quería casarse con un hombre al que no amaba.
~ Cuando estalló la guerra de Secesión, se alistó en el ejército yanqui, se afeitó la cabeza, se oscureció la piel, se puso una peluca y fingió ser un esclavo negro fugitivo llamado Frank Thompson.
~ Se convirtió en espía. Luego Frank se vistió de mujer y pasó a ser «Bridget», una panadera irlandesa que podía adentrarse en los campamentos rebeldes para espiarlos.

Final: Sobrevivió a la guerra y muchos años más tarde se descubrió su verdadera identidad.

Malos tiempos para las enfermeras

Las mujeres servían como enfermeras en la guerra de Secesión y se enfrentaban a lo mismo que veían los médicos.

Kate Cummings vivió en Alabama siendo niña, en 1835. Cuando estalló la guerra de Secesión, trabajó de enfermera y acusaba a los cirujanos de los horrores de los hospitales:

> *La sangre chorreaba de la mesa a la jofaina donde estaba el brazo. Lo habían arrancado de la articulación y la mano colgaba del borde de la jofaina, sin vida. Me gustaría llegar a ser tan fría como los cirujanos, porque estos horrores parecen interminables.*

Pero no sólo las enfermeras quedaban horrorizadas ante aquel espectáculo. Un oficial yanqui dijo:

> *Los cirujanos iban desnudos hasta la cintura y cubiertos de sangre. Sus ayudantes les ayudaban a sujetar a los pobres desgraciados y, armados con largos y ensangrentados cuchillos y sierras, cortaban y serraban a una velocidad vertiginosa, arrojando los brazos y piernas amputados a un montón. Aquello era demasiado para muchos de mis hombres, que vomitaban sobre sus sillas de montar, cuando pasábamos por delante de la tienda.*

Después de la batalla de Gettysburg, un soldado dijo que en los hospitales cortaron tantos brazos y tantas piernas que formaban montañas de casi dos metros de altura.

¿Te habría gustado que te cortasen una pierna o un brazo herido? Aunque parezca increíble, muchos soldados lo preferían, porque sufrían muchísimo. Un cirujano dijo:

¡Es horrible! Esos pobres diablos vienen y piden, casi de rodillas, que les amputes un brazo. Es lo más espantoso que jamás haya visto. ¡Dios no quiera que tenga que volver a verlo!

El Dr. J. Veist describió así un hospital yanqui:

Los hombres heridos yacen por todas partes. ¡Es algo espantoso de ver! Huesos de piernas y de brazos hechos añicos por una bala como si fuesen de cristal; a un soldado una bala de cañón le ha agujereado el vientre; otro pobre soldado tiene el pecho cubierto de sangre y espuma que emanan de una herida en los pulmones; a su lado, a un muchacho imberbe le cuelga la pierna sujeta al cuerpo tan sólo por unos jirones de carne. A otro le han destrozado por completo la mandíbula inferior... Unos tienen la cara negra por la pólvora, otros la tienen blanca de sed, y muchos sufren unos dolores terribles y, sin embargo, se oyen pocos gemidos y quejas.

Eso es la guerra y eso es lo que se hicieron unos a otros los rebeldes y los yanquis.

PRESIDENTES PERTURBADOS

A los norteamericanos no les gustaba en abosulto que los gobernara el rey Jorge de Inglaterra o de cualquier otro país. En su lugar, decidieron que ellos elegirían a su mandamás y le llamarían presidente. Hoy en día el presidente de EEUU es la persona más poderosa de la Tierra. El problema es que los presidentes son humanos, y los seres humanos hacen toda suerte de tonterías y crueldades.

A continuación te presentamos diez hechos reales.

1 Presidente Abraham Lincoln (1861-65) Seguro que no sabías que se dejó crecer su famosa barba para complacer los deseos de una niña de 11 años que le escribió para decirle:

Estaría más guapo con patillas.

2 Presidente Benjamin Harrison (1889-93) Harrison era conocido como el «Menudo Ben». Un día un hombre fue a ver al presidente, pero su secretario lo detuvo:

LO SIENTO, SEÑOR, PERO NO PODRÁ VER AL PRESIDENTE.

¿TANTO SE HA ENCOGIDO?

Durante el mandato de Benjamin Harrison se hizo la instalación eléctrica en la Casa Blanca, y al presidente y a su esposa les daba tanto miedo tocar los interruptores, que a menudo dormían con las luces encendidas.

3 Presidente James A Garfield (1881) Fue un tipo que, además de ser listo, era «ambidextro», es decir, escribía con las dos manos. Muchas personas pueden hacerlo, pero él escribía en latín con una mano y en griego con la otra y ¡las dos al mismo tiempo! Lamentablemente, ninguna de las dos manos le pudo salvar cuando un loco le disparó.

4 Presidente Grover Cleveland (1885-89 y 1893-97) A Cleveland lo acusaron de tener una novia con la que tuvo un hijo sin casarse con ella, lo cual, en aquellos tiempos, era escandaloso. Sus detractores se inventaron la canción: «Mamá, ¿dónde está papá?», para desacreditarlo con el fin de que los norteamericanos, avergonzados, no lo votasen. ¡Pero lo votaron! Cuando Cleveland ganó las elecciones, sus amigos cambiaron la letra de la canción:

5 Presidente Andrew Jackson (1829-37) Jackson era conocido como «un hombre del pueblo», pero un pueblo bastante grosero. Después de ganar las elecciones, dio una fiesta en la Casa Blanca. Invitaron a gente de la calle y les dijeron que se «entretuvieran» ellos mismos. Para «entretenerse»:

- rompieron la porcelana,
- rompieron los vasos,
- rompieron las ventanas,
- se subieron a las sillas con las botas llenas de barro,
- destruyeron los sofás,
- arrancaron las cortinas,
- se pelearon,
- se emborracharon.

Finalmente, Jackson huyó por una ventana y pasó su primera noche de presidente en un hotel. ¿Aprendió la lección? ¡Pues no! Cuando Jackson estaba a punto de dejar el cargo al término de su mandato, los vendedores de productos lácteos del estado de Nueva York le regalaron un queso de metro y medio de diámetro y 700 kg.

Como no pudo comérselo todo, ¿qué hizo? Pues dar otra fiesta en la Casa Blanca. Los invitados pusieron las alfombras y los muebles perdidos de queso. Los muebles olieron pésimamente durante mucho tiempo, menos para los ratones de la Casa Blanca, claro está.

6 Presidente Gerald Ford (1974-77) Durante una visita de la reina Isabel II de Gran Bretaña a la Casa Blanca, el presidente invitó a la soberana a bailar. Cuando salieron a la pista de baile, la orquesta tocó «La dama es un vagabundo». La reina, al igual que su predecesora, la reina Victoria, diría:

7 Presidente Lyndon Baines Johnson (1963-69) Este cómico personaje tendría que haber sido actor. Una de sus costumbres era coger a su perro Yooky por las orejas y obligarlo a cantar con él.

8 Presidente William Henry Harrison (1841) Cuando Harrison fue elegido presidente, largó el discurso más largo de la historia: 8445 palabras. Eso es casi como un pequeño libro y tardó mucho tiempo. Habló bajo un crudo viento de marzo sin abrigo ni sombrero y, a consecuencia de esa proeza, contrajo una pulmonía y murió un mes más tarde.

9 Presidente Theodore Roosevelt (1901-9) A diferencia de Harrison, a Roosevelt le salvó su discurso. Un pistolero le disparó momentos antes de que diera un discurso en Milwaukee, Wisconsin. Sin embargo, decidió seguir hablando y dijo:

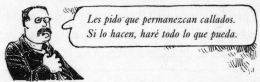

Les pido que permanezcan callados. Si lo hacen, haré todo lo que pueda.

Roosevelt siguió adelante y habló durante 80 minutos. Luego lo llevaron a un hospital, donde unas radiografías demostraron que la bala había dado en el grueso guión del discurso, luego había rebotado en el estuche de las gafas que llevaba en el bolsillo y, finalmente, se le había incrustado en las costillas. El médico dijo: «Sin lugar a dudas, el discurso le ha salvado la vida.»

10 Presidente William Taft (1903-13) Taft era tan gordo que en una ocasión se quedó atascado en la bañera de la Casa Blanca. Después de eso, mandó construir una bañera muy grande, a la medida de su gordo trasero. Era tan grande que cabían en ella cuatro hombres de tamaño normal.

PERO SI CABEMOS CUA...

¡FUERA!

El ministro de la Guerra del Gobierno de Taft, Elihu Root, en una ocasión envió un mensaje en el que preguntaba por la salud del presidente. Taft respondió en otra carta que estaba mucho mejor que si hubiese recorrido treinta kilómetros a caballo. Root respondió:

Un sueño mortal

El primer presidente de EEUU que murió asesinado fue Abraham Lincoln; pero lo más interesante es que podía haberlo sospechado, porque de alguna manera ya le habían avisado:

El presidente Lincoln se despertó con un susto. Tenía los ojos muy abiertos y casi se le saltaban de las órbitas grises y cansadas. El pobre emitió un largo y débil gemido.

Mary Lincoln estaba en la puerta de la habitación, apretando con fuerza su pequeña boca.

–¿Qué te pasa, Sr. Lincoln? –preguntó a su marido.

–Oh, Mary –dijo, moviendo la cabeza enmarañada y pasándose las manos huesudas por la cara–, ¿crees que los sueños pueden predecir el futuro?

–¡Eso son tonterías, Sr. Lincoln! ¡Eso son tonterías! –le espetó su mujer– ¿Qué clase de sueño has tenido?

–He soñado con la muerte, Mary –le dijo. El presidente echó un vistazo por la habitación–. ¡Parecía tan real!

Todo ha empezado aquí. Sabía que yo estaba en la cama durmiendo, pero luego he soñado que me despertaba. Escuchando con atención, he oído unos lamentos y unos lloros que procedían del piso de abajo. Me he levantado para ver qué sucedía.

Mary Lincoln descorrió las cortinas para que los débiles rayos de la mañana cayeran sobre su pálido marido.

–Deberías estar contento, Sr. Lincoln. Has ganado la guerra de Secesión y te has convertido en el gran héroe del norte.

El presidente esbozó una sonrisa, pero en su rostro se reflejaba dolor en lugar de felicidad.

–En el sueño, he bajado y he mirado en todas las habitaciones. Estaban vacías, hasta que he entrado a la habitación oriental y he visto que estaba custodiada por dos soldados. Me he asomado a la puerta y he visto a todos mis amigos que lloraban alrededor de una mesa.

El rostro redondo de Mary parecía preocupado.

–¿Por qué lloraban?

–Estaban alrededor de un ataúd. En el ataúd había un cadáver, ataviado con un traje de funeral. No le he visto la cara porque estaba cubierto con una tela. Me he dado la vuelta y he preguntado a un soldado quién había muerto.

–¿Quién era? –preguntó la esposa del presidente.

Lincoln miró a su mujer con sus ojos enormes y dijo:

–El soldado me ha dicho que el del ataúd era el presidente Lincoln y que lo habían asesinado. ¡Era yo, Mary, yo!

107

La mujer retorció sus ásperos labios en una mueca de desprecio.

–¡Vaya tonterías! Nadie querría disparar al héroe de la guerra, ¡al gran presidente Lincoln! –respondió en un tono irónico y despectivo. Estaba celosa.

–El sur ha perdido la guerra –le recordó–. En el sur no soy ningún héroe.

–No ganarían nada disparándote ahora. Durante la guerra, tal vez, pero no ahora. No corres ningún peligro. Vamos, muévete y sal de la cama. Recuerda que esta noche vamos al teatro. La gente quiere ver a su héroe, el presidente.

–Sí, querida –dijo él con desánimo.

Aquella noche, la gente no vio bien a su presidente. Lincoln estaba sentado en un palco que daba encima del escenario. Se había acomodado en una mecedora en la oscuridad, desde donde miraba la obra sin demasiado entusiasmo.

Era una comedia titulada *Nuestro primo americano*. El público se lo pasaba muy bien. Incluso Mary se reía, pero Abraham Lincoln estaba muy cansado y el horrible sueño de aquella mañana le había ensombrecido más, si cabe.

Y de las sombras salió un hombre. Si aquel desconocido hubiese subido al escenario, el público le habría aplaudido. Era John Wilkes Booth, uno de los actores más populares de Norteamérica. Booth agarraba con fuerza una pistola. Se sentía muy afortunado.

Sin hacer ruido, había subido las escaleras que conducían al palco del presidente. El guardia, aburrido, se había ido a tomar algo. Both movió el pomo de la puerta y comprobó que el cerrojo no estaba echado. La abrió sigilosamente y se colocó a un paso del hombre que tanto odiaba. El hombre que había derrotado a su amado Sur; el presidente Abraham Lincoln.

El presidente y sus invitados miraban el escenario iluminado. El actor gritaba a su compañera de reparto: «¡Oye, maldita vampiresa!», a lo cual el público estalló en risotadas.

Era el momento que Booth había esperado. Conocía la obra. Lo había planeado todo para ese momento. Levantó la pistola, la colocó detrás de una oreja del presidente y apretó el gatillo.

La pequeña pistola hizo mucho menos ruido que el público. Al principio, Mary Lincoln no se dio cuenta de lo que había sucedido. Lo único que vio fue a un hombre que pasaba veloz por delante de ella y se subía al borde del palco, que daba encima del escenario. Tras gritar «Libertad para el Sur», se lanzó al tablado.

El público quedó confundido. Aquello no formaba parte del argumento, ¿o sí? Algunos se rieron, otros ahogaron un grito, otros se callaron.

Mientras aquel desconocido con pistola salía cojeando del escenario, todos miraron hacia el palco, desde el cual una mujer de cara redonda como la luna los miraba gritando: «¡El presidente! ¡Han disparado a Lincoln!»

Mary Lincoln se dio la vuelta y cayó de rodillas junto a su marido, que yacía sin vida en la mecedora. Debido al alboroto que siguió, nadie oyó a la mujer susurrar: «¡Oh, el sueño, Sr. Lincoln! ¡El sueño!».

El presidente Lincoln murió al día siguiente. John Wilkes Booth fue acorralado diez días más tarde y murió en un tiroteo con los soldados enviados a detenerlo.

Según dicen, desde ese día, el espíritu de Abraham Lincoln merodea por la Casa Blanca.

¿QUÉ QUIERE?

¡SÓLO QUERÍA SABER CÓMO TERMINÓ LA OBRA!

No se sabe si es verdad o no, pero lo que sí parece casi seguro es que Abrahm Lincoln había dicho que había soñado que alguien lo mataba de un disparo.

Y el sueño se había hecho realidad.

¿Sabías que?

El presidente Lincoln fue el primer presidente de EEUU que murió asesinado y John F. Kennedy, asesinado en 1963, fue el último. Existen varios datos curiosos y espeluznantes comunes a ambos magnicidios:

- Lincoln murió de un disparo en la cabeza, mientras estaba sentado junto a su esposa en el teatro Ford. Kennedy murió de un disparo en la cabeza, mientras iba sentado junto a su esposa en un coche de la marca Ford.

- A Lincoln lo sucedió su vicepresidente, un hombre llamado Johnson. A Kennedy lo sucedió su vicepresidente, un hombre llamado Johnson.

- El asesino de Lincoln disparó al presidente en un teatro y se escondió en un almacén. El asesino de Kennedy disparó al presidente desde un almacén y se escondió en un teatro.

- Al asesino de Lincoln lo mataron de un disparo antes de ser juzgado. Al asesino de Kennedy lo mataron de un disparo antes de ser juzgado.

- El asesino de Lincoln tenía tres nombres (John Wilkes Booth) y los tres nombres sumaban quince letras. El asesino de Kennedy también tenía tres nombres (Lee Harvey Oswald) y estos tres nombres también sumaban quince letras.

¡Espeluznante! ¿Verdad?

Esos horrendo médicos

Lo peor que podía hacer un presidente de EEUU era ir al médico. Si alguna vez llegas a ser presidente de EEUU y te pones enfermo, sigue enfermo. Quizás mueras, pero si llamas a un matasanos, *seguro* que mueres. Fíjate en las barbaridades de las que son capaces:

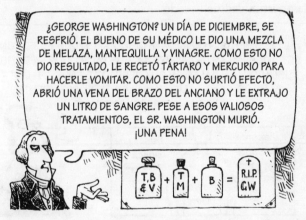

¿GEORGE WASHINGTON? UN DÍA DE DICIEMBRE, SE RESFRIÓ. EL BUENO DE SU MÉDICO LE DIO UNA MEZCLA DE MELAZA, MANTEQUILLA Y VINAGRE. COMO ESTO NO DIO RESULTADO, LE RECETÓ TÁRTARO Y MERCURIO PARA HACERLE VOMITAR. COMO ESTO NO SURTIÓ EFECTO, ABRIÓ UNA VENA DEL BRAZO DEL ANCIANO Y LE EXTRAJO UN LITRO DE SANGRE. PESE A ESOS VALIOSOS TRATAMIENTOS, EL SR. WASHINGTON MURIÓ. ¡UNA PENA!

La melaza, la mantequilla y el vinagre casi mataron al anciano. El mercurio probablemente acabaría con él, porque es tóxico. Ahora sabemos que las curas a base de sangrías eran inútiles y que eso fue lo que probablemente aceleró la muerte del anciano.

¿EL PRESIDENTE LINCOLN? LO MATARON DE UN SOLO DISPARO Y LA BALA LE ENTRÓ POR UNA OREJA Y SE INCRUSTÓ EN EL CEREBRO. EL PRESIDENTE QUEDÓ INCONSCIENTE.

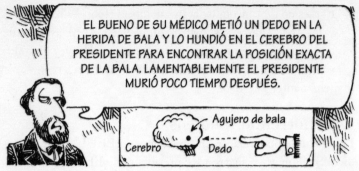

EL BUENO DE SU MÉDICO METIÓ UN DEDO EN LA HERIDA DE BALA Y LO HUNDIÓ EN EL CEREBRO DEL PRESIDENTE PARA ENCONTRAR LA POSICIÓN EXACTA DE LA BALA. LAMENTABLEMENTE EL PRESIDENTE MURIÓ POCO TIEMPO DESPUÉS.

Agujero de bala
Cerebro   Dedo

¡Claro que murió, imbécil! Lo más probable es que el médico le hundiera todavía más la bala en el cerebro y acabara con él. Tal vez Lincoln no se habría recuperado, pero su médico no le dio la oportunidad de hacerlo.

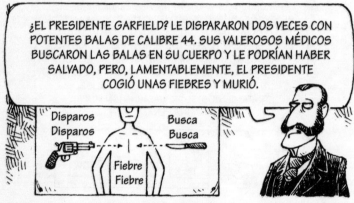

¿EL PRESIDENTE GARFIELD? LE DISPARARON DOS VECES CON POTENTES BALAS DE CALIBRE 44. SUS VALEROSOS MÉDICOS BUSCARON LAS BALAS EN SU CUERPO Y LE PODRÍAN HABER SALVADO, PERO, LAMENTABLEMENTE, EL PRESIDENTE COGIÓ UNAS FIEBRES Y MURIÓ.

Disparos
Disparos   Busca
                    Busca
          Fiebre
          Fiebre

¿Y por qué cogió fiebres el presidente? Le aplicaron el tratamiento más moderno: el «explorador Nelaton», un instrumento de metal que se introducía en la herida y se giraba lentamente para encontrar la huella de una bala. La sonda no detectó el trayecto de la bala en el cuerpo de Garfield y se atascó en la caja torácica, lo que le causó mucho dolor. El médico tuvo que extraer la sonda con sus dedos. Garfield murió el 17 de septiembre de 1881, debido a una infección y no a la bala asesina. Contrajo la infección porque los instrumentos y las manos de los descuidados médicos estaban muy sucios.

LEYENDAS Y MENTIRAS

La historia de EEUU está repleta de personajes célebres por las grandes hazañas que, según dicen, han llevado a cabo. Lamentablemente, una gran parte de estos rumores son tan reales como el zapato de cristal de Cenicienta o las alubias mágicas de Jack.

A continuación te presentamos varios hechos VERDADEROS sobre esos fantásticos personajes.

La cereza triturada de George Washington

Lo que se cuenta

CUANDO EL PEQUEÑO GEORGE NO TENÍA MÁS QUE SEIS AÑOS, LE REGALARON UNA PEQUEÑA HACHA.

¡VOY A VER QUÉ PUEDO CORTAR CON ESTO! GEORGE VA A CORTAR EL CEREZO.

CUANDO GEORGE HUBO DERRIBADO EL CEREZO, SU PADRE SE PUSO FURIOSO AL VER EL ÁRBOL DESTROZADO.

¡BUÁ! ¡CUANDO ATRAPE AL MALDITO QUE HA MATADO MI ÁRBOL LE CORTARÉ LAS MANOS!

PLOF
PLOF

EL PEQUEÑO GEORGE TENÍA MIEDO, PERO SABÍA LO QUE TENÍA QUE HACER.

NO PUEDO MENTIR, PAPÁ. YO LO HE CORTADO CON MI HACHA.

CUANDO SU PADRE OYÓ LA SINCERA CONFESIÓN DE GEORGE, LE PERDONÓ.

VEN A MIS BRAZOS, MUCHACHO. TU SINCERIDAD VALE TANTO COMO MIL ÁRBOLES, AUNQUE EN ELLOS CRECIERA LA PLATA O EL ORO.

Esto se contó por primera vez en 1806, siete años después de la muerte de George Washington, año en que el párroco Weems lo escribió en un libro. La mayoría de los relatos del libro, como el del cerezo, fueron inventados. Como los norteamericanos estaban dispuestos a creerlos, el libro alcanzó un gran éxito de ventas y la historia del cerezo se aceptó como algo «cierto». (Ni siquiera el reverendo Weems existió. El mampostero Locke Weems se hacía llamar «párroco de la parroquia de Mount Vernon», pero tal parroquia no existe.)

Davy Crockett y la Vieja Betsy

Lo que se cuenta

David Crockett
El héroe que murió luchando
por nuestra patria

Davy Crockett nació en los bosques fronterizos de Tennessee. Creció en la pobreza pero luchó con lealtad contra los indios y fue un aguerrido cazador de osos.

Cuando el deber lo llamó, se fue a Texas a luchar con los rebeldes tejanos contra el gobierno mexicano. Cogió su gorra de piel de mapache y su escopeta, la «Vieja Betsy» y se fue a defender a nuestro fantástico país. Los texanos luchaban para librarse de sus dueños mexicanos y necesitaban toda la ayuda disponible.

En abril de 1836, el ejército mexicano, formado por 3000 hombres, atacó a 180 valientes defensores texanos en el fuerte del Alamo. El 6 de marzo, tras 13 días de lucha, los mexicanos penetraron en nuestras defensas. Los aguerridos texanos lucharon hasta el último hombre y este último hombre fue Davy Crockett. Cuando al valiente de Tennessee se le terminaron las municiones, utilizó su escopeta como si fuera un garrote. Nunca se rindió y murió como un verdadero héroe norteamericano.

Davy nos ha dado una lección: «Jamás os rindáis».

La pura verdad

Es cierto que luchó contra los indios y cazó osos. Según él, en una ocasión mató 105 osos en seis meses por sus pieles. (¡Bucles de Oro seguro que le querría mucho!) Con gran esfuerzo cruzó ríos desbordados para ir a buscar más pólvora y balas y volvió para matar más osos.

Sin embargo, no vivió siempre en los bosques. Fue elegido miembro del Congreso de EEUU y se fue a Washington a dedicarse a la política. En Washington sus amigos hacían circular fantasías sobre su coraje: «Mató un oso cuando tan sólo contaba tres años». Hasta que lo echaron por votación del Congreso y Davy se mosqueó. Se enfadó tanto que se fue a Texas a masacrar mexicanos para desahogarse.

En efecto, murió en el Álamo, pero ¿lo hizo luchando con valentía? Probablemente no. En 1970 se tradujo al inglés el diario de un oficial mexicano llamado José Enrique de la Peña, en el que menciona la «ejecución» de Crockett. De la Peña cuenta:

Crockett fue reconocido entre los supervivientes. Los oficiales mexicanos discutimos sobre lo que debíamos hacer con ellos. Algunos oficiales dieron un paso hacia delante para que su general apreciara su valor. Estos oficiales

> *desenvainaron sus espadas y se lanzaron*
> *sobre aquellos pobres desgraciados*
> *indefensos, como el tigre se lanza sobre*
> *su presa. Fueron torturados antes de ser*
> *asesinados, pero aquellos hombres*
> *murieron sin quejarse.*

A Crockett lo rociaron con aceite y le prendieron fuego.

Esa es la verdad. Crockett murió con valentía, junto a otros, pero fue apresado con vida y no murió agitando su escopeta como cuentan las películas y los libros.

Wyatt Earp, el pistolero más rápido del Oeste

Lo que se cuenta

Este valiente cazador de bisontes y excelente tirador llegó a representar la ley en Misuri y Kansas.

Tras limpiar esos estados, el honrado Wyatt asumió el más grande de sus retos: restablecer la ley y el orden en Tombstone, Arizona.

Con sus hermanos y su amigo John «Doc» Holliday, de excelente puntería, se enfrentó a la malvada banda de los Clanton.

Durante el tiroteo del OK Corral de 1881, los Clanton fueron derrotados y Tombstone se convirtió en un lugar seguro para vivir.

La pura verdad

Wyatt Earp era un mentiroso, un ladrón de caballos, un salteador de diligencias y un asesino. Nació en Kentucky en 1848. Sólo Newton, el mayor de los seis hermanos Earp, no se metió en líos. Los demás: James, Virgil, Wyatt, Morgan y Warren, eran todos unos criminales.

En 1870, Wyatt fue nombrado agente del orden de la ciudad de Lamar, Misuri. En 1871, fue acusado de robar dos caballos. Earp reunió los 500 dólares de la fianza y huyó. En la década de 1870, Wyatt trabajó de camarero. Era un jugador y un mentiroso, ya que en el libro que escribió sobre su vida afirmaba que había luchado contra los indios, que cazaba bisontes y que era representante de la ley a tiempo parcial.

Se trasladó a Wichita y se hizo agente de policía hasta que lo echaron por provocar peleas. Más tarde, afirmó que había limpiado la ciudad. Luego, Wyatt se fue a vivir a Dodge City, donde más tarde dijo haber sido jefe de policía y haber traído la paz y el orden a la ciudad. Mentira. Fue policía durante unos meses, pero sólo llegó a detener a unos cuantos borrachos.

En 1877, Wyatt estaba en Fort Griffin, donde se unió a John «Doc» Holliday, jugador profesional y dentista a tiempo parcial, y a la compañera de éste, Kate Elder «Narizotas». Holliday se estaba muriendo de tuberculosis y alcoholizado, pero seguía infundiendo pavor. (En una ocasión había degollado a un hombre en una pelea por una partida de póquer.)

En 1879, Wyatt, sus hermanos y Holliday estaban en la dura ciudad de Tombstone y no tardaron en acusarlos de robar ganado y asaltar diligencias, además de hacer trampas en el juego. En su tiempo libre, hacían de gorilas armados en los bares.

En 1881, durante un intento fallido de atraco a una diligencia murieron dos personas. Nadie sabe a ciencia cierta si la banda de los Earp o de los Clanton participaron en el atraco, pero, al parecer, las dos familias se enfrentaron a causa de este suceso, lo cual dio lugar al «Tiroteo en el OK Corral», que no fue más que un enfrentamiento entre ladrones por un robo, en lugar de una persecución de maleantes llevada a cabo por los representantes de la ley.

En octubre de 1881, Ike Clanton y Tom McLaury fueron a la ciudad en busca de provisiones. Aquella noche, Holliday desafió a Clanton a desenfundar su pistola. Clanton no llevaba ninguna, lo que le permitió vivir un poco más de tiempo. Al día siguiente, unos testigos vieron a Wyatt Earp golpear a McLaury (pese a que éste iba desarmado) con su revólver favorito de cañón largo, el «Buntline Special». Esto es lo que sucedió a continuación:

CLAIBOURNE SE APRESURÓ A SALIR DE ALLÍ. ALGUIEN GRITÓ: «A POR ELLOS» E IKE SE METIÓ DE UN SALTO EN LA TIENDA DEL FOTÓGRAFO, JUSTO CUANDO DOC LE DISPARABA LOS DOS CAÑONES DE LA ESCOPETA.

BILLY CLANTON Y LOS DOS McLAURY LEVANTARON LAS MANOS Y AMBOS FUERON ABATIDOS A TIROS.

SÓLO DISPARARON LOS DE LA BANDA DE LOS EARP.

El incidente del OK Corral NO fue ningún tiroteo, sino una matanza de la que los Earp quedaron impunes.

- Más tarde ese mismo año, Virgil recibió unos disparos y quedó lisiado para toda la vida. Murió en 1905.
- En 1882, Morgan murió de unos disparos mientras jugaba al billar. Los Earp mataron al hombre que había planeado el asesinato de Morgan.
- A Warren lo mató un vaquero al que había molestado.
- Wyatt Earp se creó una leyenda de valiente representante de la ley. Murió en 1929. Dos años más tarde, se publicó *Wyatt Earp: Frontier Marshall* (mentira). Sin embargo, otros lo llamaban el «Terror de Tombstone». (Verdadero)

Billy el Niño, el pequeño terror

Lo que se cuenta

La pura verdad

El sheriff Pat Garrett era un viejo compañero de taberna de Billy el Niño. Le ordenaron que apresara a Billy y lo hizo. Garrett entonces decidió sacar dinero de su hazaña, escribiendo la vida de Billy. Junto a Ash Uspon fue autor de *La verdadera historia de Billy el Niño*. Sin embargo, la vida de Billy fue bastante anodina, por lo que el autor se inventó algunos hechos y no comprobó otros. La gente aún se cree lo que escribió Garrett, pero lo cierto es que:

- El nombre real de Billy NO era William H. Bonney. Ése era el nombre que Billy se inventó cuando huyó de la cárcel de Nuevo México. Se le conocía por Kid Antrim (Niño Antrim), pero su nombre verdadero era Henry McCarty.
- NO mató a su primera víctima cuando tenía 12 años. Billy tenía 18 cuando mató a un herrero llamado Cahill «Ventoso» tras una pelea. Billy ni siquiera tenía pistola y lo mató con la pistola de la víctima. Su carrera criminal empezó con ¡el famoso atraco a una lavandería!
- Billy NO mató a 21 personas antes de cumplir los 21. Probablemente mató a ocho personas como máximo en toda su vida.
- Billy NO era un héroe atractivo. Era famoso por tener dientes de conejo, algo así como el Conejo de la Suerte con pistola.

En realidad, Henry McCarty, alias, Billy El Niño fue un gran perdedor.

Poco antes del día de Navidad de 1880, el sheriff Pat Garrett y sus hombres acorralaron a Billy y a cuatro de sus amigos en una cabaña de pastor en Stinking Springs, nombre que significa «Fuentes Apestosas»

Un miembro de la banda fue abatido a tiros antes de que los demás se rindieran. Tras el juicio, Billy fue condenado a muerte, pero mató a dos guardianes de la cárcel y huyó. Garrett persiguió a Billy otros tres meses hasta que finalmente lo mató en una emboscada.

Garrett fue asesinado por Wayne Brazil, que había sido juzgado por asesinato y puesto en libertad. ¡Tal vez a Brazil y al juez no les gustó el libro de Garrett!

EL SALVAJE Y LEJANO OESTE

Los norteamericanos más duros y rudos se fueron al Oeste, con la esperanza de poder adquirir tierras y hacer fortuna. En las nuevas ciudades del Lejano Oeste incluso los representantes de la ley eran unos pistoleros descontrolados y unos forajidos, cuyos crímenes quedaban impunes.

Un test duro

¿Podrías ser el más rápido del Oeste? (¿o del este, del sur o del norte?) Aquí tienes diez preguntas muy, pero que muy difíciles, para estrujarte el cerebro. Si eres incapaz de responderlas, pide a un profesor que te preste alguna neurona (si es que tiene alguna). Responde verdadero o falso.

1 A Salvaje Bill Longley le dispararon unos vigilantes y, gracias al tiroteo, salvó la vida.

2 John Wesley Hardin mató a 43 hombres y enseñó catequesis.

3 Tom Horn se hizo la soga con la que lo ahorcaron.

4 Los miembros de la banda de los Dalton no iban enmascarados, sino que llevaban barbas postizas para atracar bancos.

5 Los agentes del orden podían apresar a los malos vivos o muertos, pero ellos los preferían muertos.

6 Los vaqueros odiaban a las ovejas, pero nunca les hacían daño.

7 Bill Rigney, un hombre muy salvaje del Lejano Oeste, fue linchado, cuando estaba a punto de morir.

8 Belle Starr, una cantante de taberna, llevó una vida muy agitada, pero se metió a monja y murió plácidamente.

9 Stephens «pantaloncitos de montar» se libró de ser fusilado porque «pantaloncitos de montar» era una mujer.

10 Black Bart, un asaltante de diligencias, vestía de negro.

Respuestas: 1 Verdadero. El asesino William Preston, «Salvaje Bill» Longley fue apresado por unos vigilantes junto a Tom Johnson, un cuatrero. Ambos fueron ahorcados en un árbol. Cuando los vigilantes se alejaron montados en sus caballos, dispararon a los hombres colgados. Una bala cortó la soga y «Salvaje Bill» cayó al suelo, todavía con vida. (Y abandonó a Tom a su suerte. ¡Muy simpático!). Bill fue finalmente ahorcado de nuevo en 1878, a la edad de 27 años, y esta vez 4000 espectadores presenciaron la ejecución. Cuando llevaba 11 minutos ahorcado, los médicos anunciaron su muerte. Sin embargo, pronto corrió el rumor de que Bill había sobrevivido y había sobornado a un médico para que le pusiera un arnés debajo de la camisa que lo protegiera de la soga. Luego Bill habría huido a América del Sur. Uno de los pasajeros del barco *Lusitania*, que se hundió en 1915, fue «W. P. Longley» de América del Sur. ¿«Salvaje Bill» sobrevivió a la horca dos veces?

2 Verdadero. Hardin mataba a todo aquel que se interponía en su camino. Sólo seis de sus víctimas fueron pistoleros. En una ocasión, se arrastró por debajo de una carpa de un circo para ver el espectáculo. Cuando el portero intentó detenerlo, Hardin le disparó un tiro (y un tiro de verdad, no de mentirijilla). Finalmente, Hardin fue apresado y condenado a 25 años de reclusión. En la cárcel estudió derecho y dirigió las clases de catequesis. Lo soltaron al cabo de 16 años y ejerció de abogado en El Paso. En 1895, Hardin estaba bebiendo en una taberna, cuando le dispararon en la nuca. Su asesino, John Selman, fue puesto en libertad. Afirmó que había matado a Hardin en defensa propia.

3 Verdadero. Tom Horn era un agente del orden que se convirtió en forajido. En 1880, le encargaron que persiguiera a los asaltantes de trenes. Él se limitaba a matarlos, dejando siempre su tarjeta de presentación: una piedra colocada debajo de la cabeza de la víctima. En la década de 1890, se había convertido en un asesino a sueldo, que trabajaba para los rancheros de ganado, eliminando a sus rivales. En 1902 mató a Willie Nickell, un muchacho de 14 años, hijo de un  pastor, para escarmentar a su padre. Lo juzgaron y ahorcaron en noviembre de 1903. Él mismo se hizo la soga. Mientras la hacía le sacaron una foto que tuvo un gran éxito comercial.

4 Verdadero. En 1892, la banda de los Dalton entraron en la ciudad de Coffeyville para atracar el banco. Como eran conocidosen la ciudad, se disfrazaron con unas barbas postizas, pero el truco no funcionó. Los reconocieron de inmediato y, cuando los atracadores salieron del banco, los esperaban el sheriff y sus hombres. Grat Dalton resultó gravemente herido durante el tiroteo, pero mientras caía al suelo, mató de un disparo al sheriff que le había disparado a él. Antes de que Grat pudiera hacer más daño, John Kloehr (presidente del club de rifles local), le atravesó el cuello de un disparo. Bob Dalton (el jefe) también estaba herido, pero seguía disparando, apoyándose en un granero. El solícito John Kloher le disparó en el pecho. Emmet Dalton recibió 16 impactos, pero se recuperó. Fue el único superviviente de la banda. Fue condenado a cadena perpetua y murió en 1937.

5 Falso. Los agentes del orden no solían recibir ninguna recompensa ni les pagaban los gastos si el forajido moría. Además, si nadie reclamaba el cadáver, el agente tenía que pagar el entierro. Por este motivo, ningún agente del orden mataba a los forajidos, salvo que se vieran forzados a hacerlo. (Matar al asesino Jason Labreu le costó a Fannin, ayudante del sheriff, 60 dólares). El juez Parker pagaba a los agentes del orden 6 centavos por milla por perseguir a un forajido, 2 dólares por detenerlo y diez centavos por milla por alimentarlo y entregarlo a la justicia.

6 Falso. En 1880 los vaqueros texanos degollaron 240 ovejas. En 1887, 2600 fueron quemadas vivas. Todo esto sucedió durante las «guerras de los pastos», en las que los ganaderos y los pastores se disputaban la valiosa tierra.

7 Verdadero. En 1883, Charlie Brown era un famoso tabernero de Miles City, Montana. El matón Bill Rigney entró en la taberna de Charlie y se emborrachó de lo lindo. Empezó a insultar a la esposa y a la hija de un cliente. Charlie le golpeó en la cabeza y Rigney cayó moribundo al suelo. Charlie podía ser ahorcado por este asesinato y sus conciudadanos, para impedirlo, se apresuraron a formar un escuadrón de vigilantes y linchar al moribundo Rigney. De este modo, Charlie no pudo ser acusado de asesinato.

8 Falso. Belle se solía vestir de hombre para cometer sus delitos. Una de las fechorías más viles que hizo fue participar en el saqueo de la casa de un indio y torturar al pobre hombre para descubrir dónde escondía sus monedas de oro. A la edad de 41 años se peleó con un hombre, quien le disparó por la espalda. Mientras se caía al suelo, el hombre le disparó en la cara. ¡Vaya compañías se buscaba! ¿verdad? Belle formó parte de varias bandas de forajidos y, a sus dos maridos, también bandoleros, los mataron en tiroteos.

9 Verdadero. Jennie Stephens tenía 16 años y pertenecía a una familia respetable cuando conoció a Bill Doolin (de la banda de Bill Dalton) en un baile. Fue con él al escondrijo de la banda, donde trabajó en la cocina y en la granja y, de vez en cuando, robaba caballos. En 1894, cuando la mayoría de los miembros de la banda de Dalton estaban muertos o detenidos, siguieron la pista de Jennie y la atraparon en una granja. Ella saltó por una ventana y huyó a caballo. Un agente del orden la persiguió y disparó a su caballo, porque no podía disparar a una mujer.

Tras un forcejeo, fue apresada y entonces el agente del orden le dio una zurra. Permeneció encarcelada durante dos años y murió de tuberculosis, mucho tiempo después de que fuese puesta en libertad. No todas las mujeres tuvieron tanta suerte. La gorda Ella Watson, alias Ganado Kate, compraba y vendía ganado robado. Unos vigilantes la ahorcaron por robar ganado en 1889.

10 Falso. A finales de la década de 1870, Black Bart era un caballero muy elegante que vestía un sombrero hongo y un traje negros. Pero cuando atracaba diligencias, llevaba un abrigo largo y blanco, y se cubría la cabeza con un saco blanco de harina con dos agujeros para los ojos. Siempre pronunciaba solamente tres palabras: «¡Dadme la caja!». ¿Qué decía cuando le robaba al panadero el saco de harina? «¿Dadme la pasta?» (Harina... pasta...¿lo has pillado? No importa.) Bart tenía además la peculiar costumbre de dejar poemas en las escenas del delito. El primero que escribió fue:

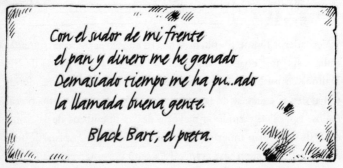

Con el sudor de mi frente
el pan y dinero me he ganado
Demasiado tiempo me ha pu..ado
la llamada buena gente.

Black Bart, el poeta.

Bart fue apresado y acabó siendo un anciano caballero muy respetable.

Agentes del orden sin ley

Algunos de los protagonistas del Lejano Oeste no eran lo que aparentaban, ni tampoco eran como John Wayne o Clint Eastwood en las películas. En realidad, a veces los sheriffs y los jueces eran granujas de la peor calaña.

Henry Plummer

Plummer empezó sus fechorías en la década de 1850, matando al marido de una mujer que le gustaba. (Enviar un ramo de flores a la mujer habría sido más correcto.)

Tras una larga serie de asesinatos y robos, lo eligieron sheriff de Bannock, Montana, en 1863. Ya lo dicen: «Nada mejor que un ladrón para atrapar a otro ladrón». Para entonces, dirigía un ejército de 200 forajidos llamados «Los inocentes». Su fechoría predilecta era atracar diligencias cargadas de oro.

En 1864, fue traicionado por un miembro de su propia banda. El hombre preguntó a sus conciudadanos: «No seréis capaces de ahorcar a vuestro propio sheriff, ¿verdad?». Pues sí.

Wild Bill Hickok

James Butler Hickok nació en 1837, en Illinois, hijo de un reverendo. Era un mentiroso y un fanfarrón, y se atribuyó el apodo de Wild Bill, que significa el «salvaje Bill», pero los demás le llamaban «Pato Bill», porque tenía la nariz curva y los labios salidos, rasgos que intentaba disimular con un poblado bigote.

Trabajaba para una empresa de transporte de mercancías y dirigía la estación de Rock Creek. En una ocasión, tres granjeros fueron a la estación para quejarse de que no les habían pagado las tierras que habían vendido y Hickok les disparó. Los hombres iban desarmados. Más tarde Hickok alegó que había sido atacado por nueve pistoleros. Fue juzgado y absuelto del cargo de asesinato.

Durante la guerra de Secesión, Hickok espió para el Norte. En 1865 se había convertido en un jugador profesional en Misuri. Hacia 1869, fue sheriff de Fort Hays. Puso en vigor una ley local que permitía llevar armas y patrullaba por las calles armado con una escopeta de cañón recortado, dos revólveres, una pistola de cañón corto y gran calibre y un cuchillo para cazar. Vestía elegantes pantalones de gamuza o de terciopelo, un fajín rojo y un sombrero de ala ancha. Había nacido la leyenda.

En 1870, mató a cuatro soldados en una pelea de taberna y huyó de la ciudad. Reapareció convertido en agente del orden de Abilene. Mató a dos hombres en su primer día en el cargo. Más tarde mató por error a su ayudante. Al cabo de un año, lo obligaron a irse de la ciudad.

Después de pasar temporadas haciendo espectáculos en el Lejano Oeste, un día de 1876 decidió echar una partida de póquer en Deadwood, sentado de espaldas a la puerta, en lugar de espaldas a una pared sólida, como era su costumbre. Jack McCall entró en la taberna y disparó a Hickok en la cabeza por detrás. Hickok se convirtió en el protagonista de leyendas que lo describen como uno de los agentes del orden más grandes de EEUU.

Visto y no visto

En 1903, murió el famoso juez Roy Bean. Un periódico podría haber publicado la noticia de la siguiente manera:

EL JUEZ ROY BEAN HA MUERTO

Una parte del Lejano Oeste murió ayer cuando el juez Roy Bean mordió el polvo. Bean nació en Kentucky y se fue a Nueva Orleans con unos negreros a los 16 años. Abrió una taberna, pero pronto tuvo que huir porque mató a balazos a un mexicano borracho.

El joven Roy se apuntó al éxodo hacia California en busca de oro, y allí trabajó para su hermano de camarero hasta que lo encarcelaron por haber disparado a un hombre y a su caballo, durante un duelo de jinetes borrachos. Huyó de la cárcel y volvió a trabajar en tabernas hasta 1858, año en que, de nuevo, tuvo que huir para salvar el pellejo y se libró por poco de ser linchado. (Debido a un lío de «faldas».)

Durante la guerra de Secesión, Bean dirigió a un reducido grupo de guerrilleros rebeldes que se hacían llamar los «Trotamundos Libres», pero que la gente llamaba los «Cuarenta Ladrones». Al terminar la guerra, Bean tuvo varios trabajos distintos: contrabandista de algodón, cazador de indios, carnicero y estafador de poca monta.

En 1882. empezó a montar tabernas ambulantes para la

gente que trabajaba en la construcción del ferrocarril. En Eagle's Nest, Texas, fue nombrado juez de paz. Sin dejar de dirigir su taberna ambulante, su «cárcel» consistía en un árbol al que encadenaba a los delincuentes.

En 1882 se trasladó a Vinegarroon (que debía su nombre a una especie de escorpión de la zona) y construyó una taberna, que llamó «Jersey Lilly», en honor a la actriz Lillie Langtry (no era muy bueno en ortografía). Bean celebraba los juicios en el porche de la taberna, bajo un cartel que rezaba: «La única ley al oeste de Pecos».

La ciudad cambió su nombre por el de Langtry y creció. La señorita Lillie incluso envió al juez un par de revólveres enchapados en plata, que él utilizaba como martillo para poner orden en la sala. No se sabe a ciencia cierta a cuántas personas ejecutó Bean, pues las cifras oscilan entre 0 y 23 fusilamientos, y muchos más ahorcamientos. Uno de sus castigos favoritos era condenar al acusado a pagar rondas para todos los clientes de la taberna.

El pillastre Bean

Gracias a ese gran hombre, el Oeste era un lugar seguro, salvo que fueses una de sus víctimas, claro está.

Todo esto no tiene nada que ver con este chiste:

¿HAS OÍDO LO QUE DICEN DEL VIEJO JUEZ SMITH? PERDIÓ LA ROPA EN UNA PARTIDA DE PÓQUER.

SÍ. Y AHORA LE LLAMAN JUEZ CALZONCILLOS.

Viles vigilantes

Si no estás contento con los representantes de la ley de tu localidad, ¿por qué no te tomas la justicia por tu propia mano? Reúne a unos cuantos vecinos para formar una «pool», una especie de patrulla. Armaos con pistolas y cuerdas (para ahorcar a los sospechosos) y poneos el nombre de «vigilantes».

Esto es lo que hicieron muchos norteamericanos en el siglo XIX.

- Los vigilantes de Montana ahorcaron a 30 hombres y aterrorizaron a muchos más. Llevaban máscaras e iban a buscar a los sospechosos a media noche.

- En 1851, los ciudadanos de San Francisco constituyeron su propio «Comité de Vigilancia» y se atribuyeron poderes para celebrar juicios y ejecutar.

- Su primera víctima fue John Jenkins, que fue sorprendido cuando se llevaba una caja fuerte pequeña que no era suya. Tras un juicio sumario, fue ahorcado en la calle y una gran multitud se reunió para verlo.

- En poco tiempo el «Comité» juzgó a 89 sospechosos, ahorcó a 4, azotó en público a 11, deportó a 28 y dejó libres a 41, hasta que consideraron que San Francisco ya era un lugar seguro.

Unos apodos peculiares

Juana Calamidad es uno de los nombres más famosos del Lejano Oriente, pero no el más divertido.

Aquí tienes otros diez nombres reales. ¿Serías capaz de completar los siguientes nombres de mujeres?

1 .... Reina de los vaqueros
2 .... Póquer
3 .... Bigote
4 Jovial ....
5 .... Diente de diamante

6 .... Vida triste
7 .... la Cerda
8 .... la Tonelada
9 .... Ojo de Cristal
10 El .... andarín

134

Juana Calamidad

Juana decía que la llamaban así porque luchaba contra los indios, viajaba en las diligencias como guardia armado, etcétera, pero en realidad, se ganó el apodo porque, siendo cabaretera, destrozaba las tabernas cuando se emborrachaba, lo cual sucedía con frecuencia.

«Juana Calamidad» nació en 1848 y en realidad se llamaba Martha Canary. ¿Canary? ¡Seguro que jamás cerraba el pico!

Solía vestir ropa de hombre y trabajaba de jornalera. En 1875 se unió a una expedición del ejército de EEUU para luchar contra los indios sioux como mulero. La sorprendieron en una ocasión en que se bañaba desnuda con otros muleros y la echaron.

136

En 1886, trabajaba en tabernas en Deadwood, donde vivió el resto de sus días. Murió alcohólica en 1903.

La última banda de forajidos

Butch Cassidy (nombre real: George Leroy Parker) nació en Utah en 1866 y, antes de cumplir los veinte, ya asaltaba trenes. En 1889, Cassidy se unió a Tom McCarty para asaltar un banco en Denver. En el interior del edificio, McCarty enseñó una frasco que, según dijo, contenía un peligroso explosivo.

El banco le entregó 21.000 dólares para que se fuera. Mientras se iba con el dinero, lanzó el frasco a una papelera. Estaba lleno de agua. ¡Jo, jo, jo!

Butch estaba al frente de la «Banda del Agujero en la Pared», que más tarde se conoció como «El grupo salvaje». Un joven vaquero, al que llamaban Sundance Kid, porque había cumplido una sentencia en la cárcel de Sundance, se unió a ellos. Sin embargo, la banda no era tan alegre e inofensiva como aparece en las películas.

Esos ladrones y asaltadores construían cabañas y corrales en el extremo de un desolado valle llamado Hole in the Wall (Agujero en la Pared), cercano a Kaycee, Wyoming. Era una fortaleza natural, compuesta de cuevas y una estrecha entrada que siempre estaba custodiada.

La banda no era tan lista, pues ninguno de sus miembros sospechaba que entre ellos estaba un detective privado llamado Charles Siringo. Se había unido al grupo haciéndose pasar por un viejo y entrecano forajido fugitivo, acusado de homicidio, y todos lo habían aceptado sin sospechar de él. El hombre reunió la suficiente información para desbaratar varios de los robos que habían planeado.

En 1898, se formaron escuadrones capitaneados por sheriffs y se ofreció una recompensa de 1000 dólares por cada uno de los miembros del «Grupo Salvaje» vivo o muerto. Furioso, Butch y sus compinches tomaron la ofensiva, asesinando e incendiando granjas. Estados Unidos declaró la guerra a España y atacó las colonias españolas. Butch ofreció al gobierno de EEUU los

servicios de su banda y propuso el nombre de los «Jinetes del Grupo Salvaje». Como la oferta fue rechazada, Butch volvió a asesinar y a robar.

En una ocasión, después de cometer un robo, Butch y sus cuatro compinches se compraron unos elegantes trajes de ciudad y posaron para una fotografía en Fort Worth. Esa fotografía más tarde se utilizó para identificar a los miembros de la banda. Los excesos del grupo tenían los días contados. Poco a poco, sus miembros fueron detenidos, encarcelados, asesinados o simplemente huyeron.

Butch se fue en tren y en barco a Sudamérica, donde Sundance y su novia ya habían huido. En Sudamérica no tardaron en volver a atracar bancos. Finalmente unos soldados bolivianos les tendieron una trampa; ambos, Butch y Sundance, murieron en el tiroteo. ¿Los habían matado los soldados o se habían suicidado? O a lo mejor se pelearon entre ellos y sucedió lo siguiente:

Sea lo que fuera lo que sucedió, ellos fueron los últimos forajidos.

EL TERRIBLE SIGLO XX

En el siglo XX, EEUU se convirtió en el país más poderosos del mundo. Sin embargo, al contrario de lo que pueda parecer, no todo iba viento en popa, ni todo el mundo era feliz y prosperaba.

Cronología del terrible siglo XX

1903 Orville y Wilbur Wright pilotan el primer aeroplano. (No sé porque no lo llamaron «avión», como todo el mundo.)
1914 Estalla la Primera Guerra Mundial en Europa. EEUU decide no participar, de momento.
1917 Ahora, cuando la guerra está a punto de terminar, EEUU interviene con todos sus hombres y su artillería (lucha al lado de los vencedores) y dice: «Nosotros ganamos la guerra».
1920 El 17 de enero, en EEUU se implanta la ley «seca». Durante los próximos 13 años, ningún ciudadano de EEUU tendrá derecho «legal» a comprar o vender bebidas alcohólicas, por lo que surge un negocio «ilegal» en manos de los gángsters.
1929 Tiene lugar una gran crisis económica y las empresas más grandes de EEUU quiebran. Durante los diez próximos años tendrá lugar la «Gran Depresión», durante la cual los pobres serán más pobres y sufrirán todavía más si cabe.

NOSOTROS LO INVENTAMOS Y LO LLAMAMOS COMO QUEREMOS.

ESTÁ BIEN, TIENE RAZÓN.
¡COMO USTED GUSTE!

HARÍA LO QUE FUERA POR UNA CERVEZA BIEN FRESCA.

BAR
NOSOTROS TAMBIÉN.

ESTAMOS DE NUEVO EN GUERRA, ¿LE GUSTARÍA PARTICIPAR?

NO, GRACIAS

1939 Estalla la Segunda Guerra Mundial en Europa. EEUU decide no intervenir, de momento.

1941 Cuando la guerra está a punto de terminar (bueno, no exactamente a punto), EEUU interviene con todos sus hombres y su artillería (al lado de los vencedores) y dice: «Nosotros ganamos la guerra» (¡como siempre!)

1945 EEUU inventa la bomba atómica, capaz de matar a cientos de miles de personas de una sola vez. La arrojan sobre dos ciudades japonesas y ponen fin a la Segunda Guerra Mundial.

Década de 1950 La URSS y EEUU lucharon juntos en la Segunda Guerra Mundial, pero ahora se detestan y desconfían uno de otro. Entre ambos países se declara la «guerra fría», en la que se llevan a cabo mucha actividad de espionaje y amenazas, pero

ningún combate. Al mismo tiempo se enfrentan en una guerra muy encarnizada, en la que EEUU defiende a Corea del Sur para detener su invasión por la pequeña Corea del Norte.

Década de 1960 La URSS y EEUU compiten por colocar un hombre en la Luna. Gana EEUU, cuando Neil Armstrong pone los pies en nuestro satélite el 20 de julio de 1969. Mientras, en la Tierra, EEUU defiende al gobierno de Vietnam del Sur, pero no consigue aplastar a la población de Vietnam del Norte.

En contra de la bebida

En 1920, en EEUU se prohibieron las bebidas alcohólicas. Este hecho se conoce como la Ley Seca o la Prohibición. Sin embargo, esto no se decidió de la noche a la mañana. Una vez resuelto el tema de la esclavitud con la guerra de Secesión, el alcohol se había convertido en un grave problema para los norteamericanos. Se había iniciado otra clase de guerra, la guerra contra el alcohol.

Seguro que no conocías estos alucinantes datos:

1 En el siglo XVIII y en el XIX, en EEUU creían que el alcohol era «un regalo de Dios para los hombres». Mezclaban ron con la leche para que los recién nacidos se durmieran. De adultos, la mayoría de norteamericanos tomaban bebidas alcohólicas varias veces al día.

2 En la «Antigua Enciclopedia Americana» de 1830, se leía:

> En los estados sureños está de moda tomarse un vaso de whisky, sazonado con menta, al poco rato de despertarse. Luego vuelven a tomar alcohol a las 11 de la mañana; durante el almuerzo, toman whisky y/o coñac; y a las 4 de la tarde y durante toda la noche.

¡Jolín! ¿Qué debían hacer en su tiempo libre?

3 Los que más empinaban el codo eran los sacerdotes. En todas las casas que visitaban, les ofrecían algo para beber. Algunos clérigos visitaban 20 casas cada día. Se decía en 1857 que la mitad de los sacerdotes «morían alcoholizados».

4 En las zonas rurales, la bebida servía de moneda. En las tiendas, los precios se marcaban en pintas y galones de whisky y, en muchas de ellas, se ofrecían tragos gratuitos a los buenos clientes.

5 George Washington era famoso por su hábito. Siendo presidente, destinaba una cuarta parte de los gastos de la casa a la bebida.

142

6 En 1734, en Georgia se prohibieron las bebidas de alta graduación, pero no la cerveza. Nueve años más tarde, abandonaron sus esfuerzos por poner en vigor dicha ley. La mayoría de los granjeros se habían construido sus propias destilerías y. a través de la frontera, se hacía contrabando de bebidas ilegales procedentes de Carolina del Sur.

7 En inglés coloquial, las bebidas alcohólicas reciben el nombre de «booze», en honor a Edmund C. Booze, que se presentó a las elecciones a la presidencia de 1840. Mientras recorría EEUU en busca de votos, vendía su propia marca de whisky en botellas con forma de cabañas de troncos.

8 Los contrabandistas de bebidas alcohólicas escondían la mercancía en la parte superior de sus enormes botas. En la década de 1730, en Georgia, los jurados dejaban libres a los contrabandistas, porque si los hubiesen encerrado a todos, no habría habido suficientes cárceles. Lástima que en la década de 1920 no se siguiera el ejemplo de Georgia.

¡CLINC!
¡CLINC!
¡CLINC!

9 Pronto, los científicos y los médicos empezaron a decir que el alcohol era la causa de todo, desde el reumatismo hasta la vejez. Existía la creencia de que los borrachos podían padecer «combustión espontánea»; es decir que, de repente, podían encenderse en llamas ellos solitos.

10 Para enfrentarse a los horrores de la guerra de Secesión, muchos hombres empezaron a beber. Pero, al terminar la guerra, volvieron a aparecer los grupos que defendían la prohibición del alcohol. Un grupo de mujeres consiguió que en las escuelas se enseñaran los «males de la bebida». ¿Cómo lo hacían los maestros? Pues con un experimento de lo más divertido:

Hecha la ley, hecha la trampa

Los norteamericanos estaban tan conmovidos por los efectos perniciosos del alcohol, que terminaron por prohibirlo. El 17 de enero de 1920 era ilegal comprar bebidas alcohólicas, salvo para fines médicos o el vino utilizado en las iglesias.

Sin embargo, la mayoría de la gente quería beber. ¿Qué harías para combatir la ley seca? Muchos almacenaron grandes cantidades de bebida antes de que la ley entrara en vigor; pero cuando se implantó, millones de personas burlaron la ley para beber... o para ganar mucho dinero.

Aquí tienes diez consejos de los infractores.

En Chicago, a la una de la madrugada del 17 de enero de 1920, unos pistoleros enmascarados robaron 100.000 dólares en whisky «medicinal» de una destilería. Fue la primera de las cientos de infracciones que los gángsters hicieron de la ley seca.

El falso «whisky dulce» se elaboraba con éter mezclado con ácido nítrico y ácido sulfúrico. ¡Procura no derramarlo sobre tu vestido! El «whisky yack-yack» se hacía con tintura de yodo y azúcar fundido. ¡Aj, qué asco! De México llegaba el «whisky americano», que se hacía con patatas y cactus: ¡aj!

Había contrabando de toda clase de bebidas, pero no todos los contrabandistas eran hombres. La española María hacía contrabando de alcohol con su barca *Kid Boots*. Llevaba un revólver sujeto a la cintura, un cuchillo metido en el cinturón y un pañuelo rojo en la cabeza.

En Nueva York, en 1927, había 30.000 tabernas clandestinas, el doble de las que había antes de la Ley Seca.

Vencedores y perdedores

Los ricos, los políticos, la policía y los gángsters disfrutaban de la bebida y sacaban grandes beneficios de la Prohibición. Como es costumbre, los pobres eran los que más sufrían las consecuencias. Al pobre Fred Palm lo condenaron a cadena perpetua por tomarse medio litro de ginebra. Lo mismo le sucedió a una madre de diez hijos de Michigan. Sin embargo, no todas las redadas que hacía la policía tenían éxito.

De ello se deduce: «de la mujer y del dinero, no te burles caballero».

En diciembre de 1932, se derogó la Ley Seca. Un año más tarde, el estado de Utah se «levantó la sanción». En todo el país se hicieron desfiles y procesiones de antorchas. La Prohibición se había terminado y con ella habían muerto decenas de miles de personas que habían bebido brebajes tóxicos y whisky falso. Cientos de personas murieron en las guerras entre gángsters y miles de ellas quedaron ciegas por los efectos de la bebida. ¡La Ley Seca no fue una de las ideas más acertadas de EEUU!

¡Feliz día de San Valentín, muchachos!

La Ley Seca trajo muchos beneficios para los hombres que vendían whisky ilegal. Éstos tenían que proteger su dinero contratando a hombres muy violentos. Uno de los peores jefes de bandas fue Al Capone, que vendía bebidas alcohólicas en Chicago. ¡Y quien se atrevía a molestar al gran Al, lo pagaba caro!

«Bugs» Moran intentó quitar a Capone del negocio, pero Al Capone preparó un regalo del día de San Valentín muy especial para «Bugs», y se fue de vacaciones a Florida. Lo más sorprendente de todo esto es la forma en que lo publicaron los periódicos al día siguiente.

El heraldo de Chicago

LA POLICÍA TERMINA CON LA BANDA DE BUGS

Anoche siete miembros de la banda de Bugs Moran murieron bajo una lluvia de balas de ametralladora. En el día de san Valentín, los hombres llegaron a un almacén de la calle de Clarke para recibir un cargamento de whisky robado, pero no encontraron whisky, sino la muerte en una trampa tendida por la policía.

Un residente de la zona, Andy Reiss describió así la escena:

«Oí la puerta del camión y miré por la ventana que da justo en frente del almacén. Vi a dos polis de uniforme y dos detectives de paisano que sa-

lían de un coche patrulla. Entraron corriendo en el almacén. Fue entonces cuando oí un ruido como de martillo neumático. Supongo que sería la ametralladora. Luego los dos polis uniformados salieron con sus pistolas apuntando a otros dos hombres. Todo quedó en silencio durante un rato hasta que el perro guardián empezó a ladrar. Como no cesaba de ladrar, cruzamos la calle para investigar».

El vecino de Reiss (que no ha querido dar su nombre) añadió: «Como la puerta estaba abierta, entramos. Aquello parecía un matadero. Había siete cadáveres. Los polis los habían puesto en fila contra la pared y los habían matado. La sangre inundaba el suelo y se escurría hacia la alcantarilla. Sólo se oían los quejidos de un individuo. Fuimos y llamamos una ambulancia, pero llegó demasiado tarde. Resulta escalofriante pensar que la policía pueda matar a unos hombres a sangre fría.

La esposa del vecino dijo: «La banda de Moran robó whisky a una banda de la policía hace un par de semanas. Seguro que ha sido una buena venganza.»

El jefe de la policía niega que el cuerpo de policía de Chicago haya tenido nada que ver con esta carnicería.

Hoy, nuestro reportero ha ido hasta la casa de «Bugs» Moran. Moran ha admitido que los hombres eran miembros de su banda, pero ha añadido: «yo tenía que estar allí dentro. Pero me detuve a tomar un café, por lo que me retrasé. Vi que la policía entraba y yo huí para salvar la vida. Sin embargo, creí que se trataba de una redada normal y corriente. No puedo creer que la policía haya podido hacer esto a mis muchachos. Les pagamos demasiado bien. Esto sólo lo ha podido hacer Al Capone». La investigación continúa.

¿Está involucrado Al Capone?

Los periódicos tenían razón en parte de la información, pero estaban muy equivocados en un detalle: los asesinos NO fueron el cuerpo de policía de Chicago, sino los miembros de la banda de Al Capone disfrazados de policías. Engañaron a sus víctimas, que se pusieron contra la pared para que los registraran, y también engañaron a los testigos.

Los cuatro asesinos jamás fueron castigados por la matanza del día de San Valentín, pero dos de ellos sufrieron una muerte horrenda. Anesimi y Scalise, los dos tipos, decidieron ir en contra de su jefe, Al Capone, y matarlo. Pero Capone se enteró del complot y planeó una venganza. Capone organizó una gran cena en la que Anesimi y Scalise eran los principales invitados. Capone echó un discurso en el que habló de la importancia de mantenerse fiel al jefe. Luego, ordenó que ataran a Anesimi y a Scalise en sus sillas, cogió un bate de béisbol y, delante de todos los invitados, mató a los traidores aplastándoles la cabeza.

Si esto no te quita las ganas de cenar, ya no sé qué lo hará.

Asesinos despiadados

La prohibición fue genial para los gángsters porque se hicieron ricos vendiendo whisky. Pero Estados Unidos siempre ha sido genial para crear sinvergüenzas y asesinos. Aquí tienes a cinco de los peores rufianes de la historia de este país.

Nombre: Lizzie Borden

Fechas: 1893, Fall River, Massachusetts

Crimen: Acusada de intentar envenenar a su familia. Al fallarle esto, dijeron que, con un hacha, había despedazado a su madre mientras ésta dormía. Luego esperó a que su padre volviera a casa y también lo mató a hachazos.

Notas: ¡Su crimen quedó impune! Como el jurado no quería ver a una joven rica ahorcada, la declararon «inocente». Pero los niños norteamericanos no dudaban de su culpabilidad y cantaban la siguiente canción:

> Y dio a su madre cuarenta hachazos
> y al ver lo que había hecho
> dio a su padre cuarenta y ocho.

Nombre: El Hombre del Hacha de Nueva Orleans

Fechas: 1911-19, Nueva Orleans

Crimen: En 1911 irrumpió en seis tiendas de comestibles italianas y mató a los tenderos italianos y a sus esposas. Estuvo inactivo varios años y luego volvió a atacar en 1918 y en 1919.

Notas: Nunca lo cogieron. La viuda de una de sus víctimas mató a un hombre de un disparo y dijo que era el Hombre del Hacha. Puede que tuviera razón, ya que jamás se supo de él, pero a los habitantes de Nueva Orleans les gustaba hablar de aquel horror y celebraban «fiestas del hombre hacha», en las que todo el mundo se disfrazaba de tendero italiano y de hombre del hacha. Incluso hubo una canción muy popular titulada «El jazz del misterioso hombre del hacha».

Nombre: Familia Barker

Fechas: Década de 1930, Misuri.

Crimen: La banda, capitaneada por la perversa Ma Barker (Mamá Barker) atracaba bancos y mataba a todo aquel que se interponía en sus planes. Sin embargo, su mayor fuente de ingresos eran los secuestros de gente rica. Llegaron a ganar hasta 3 millones de dólares.

Notas: Cuando la policía siguió la pista de Ma Barker hasta su escondite, atacaron con gas lacrimógeno y ametralladoras. La encontraron muerta, agarrando con fuerza su ametralladora, ¡una mujer con agallas!. Lloyd, su hijo, salió de la cárcel en 1947, tras cumplir 25 años. Cuando se fue a su casa para reunirse con su querida esposa, ésta lo mató. ¡Otra señora con agallas!

Nombre: John Dillinger

Fechas: Década de 1930, Chicago.

Crimen: Atracador de bancos. Lo hacía tan bien, que la policía de Chicago formó una brigada especial llamada «Brigada Dillinger» compuesta de 40 hombres. El jefe del FBI lo calificó de «Enemigo público nº 1» (está bien eso de ser el nº 1 de algo).

Notas: Fue apresado en Arizona, pero huyó utilizando una «pistola» de madera ennegrecida con betún. (Cuando dos de su banda intentaron huir con una pistola hecha de jabón, fracasaron. Eso era jugar limpio, ¿verdad?) Se ofreció una recompensa de 10.000 dólares por su captura, vivo o muerto, y su simpática novia contó a la policía dónde estaba. Lo mataron a balazos. Corrieron rumores de que el muerto era un «doble» de Dillinger y que el gángster de verdad seguía viviendo. No era muy probable.

Nombre: Bonnie Parker y Clyde Barrow (Bonnie & Clyde)

Fechas: Década de 1930, Texas.

Crimen: Robaban coches para perpetrar robos con violencia, MUCHA violencia.

Notas: El primer gran robo de Bonnie y Clyde salió mal, cuando el coche para la huida se averió y tuvieron que escapar montados en mulas. Sus aventuras ocupaban los titulares de la prensa de EEUU y la pareja era muy popular, pese a que habían matado por lo menos a doce personas. Ayudaron a varios reclusos a huir, hasta que uno de ellos los delató a la policía. (En el mundo del hampa no hay que confiar en nadie.) Finalmente, cayeron en una emboscada de la policía y murieron acribillados. Fueron enterrados en cementerios separados, pese a su deseo de ser enterrados juntos. Bonnie incluso escribió un poema sobre eso: era un poema tan malo que Bonnie mereció que la cosieran a balazos por haberlo escrito.

> Algún día juntos morirán
> y uno al lado del otro los enterrarán.
> Algunos llorarán
> La ley se alegrará, pero Bonny y Clyde
> desaparecerán.

Los furibundos racistas

El cruel Ku Klux Klan (KKK) se formó en 1866, cuando al terminar la guerra de Secesión se liberaron a los esclavos. Los miembros del KKK (en su mayoría, hombres) querían regresar a los «buenos tiempos» de antaño, en que los blancos eran amos y los negros, esclavos. Para conseguirlo, amargaban la vida a los negros. (Tú y yo escribiríamos «Clan» con «C», pero los racistas eran muy burros y ni siquiera sabían escribir bien el nombre de su klub).

¿NOS ESTÁS LLAMANDO TONTOS O QUÉ?

La ley prohibía ser miembro del KKK, por lo que sus sanguinarios miembros escondían sus rostros con unos ridículos capirotes. Lamentablemente, su actividad no tenía nada de ridícula.

Un típico relato de terror

En 1934, un antiguo esclavo contó lo siguiente:

Yo pertenecía a un grupo de esclavos liberados que salieron en busca de trabajo. Como el Ku Klux Klan nos perseguía, nos escondimos en los bosques. Para comer, no teníamos más que unas cuantas galletas. Partimos una de las galletas y la esparcimos en el bosque con el fin de dejar un rastro que sirviera de cebo para atrapar mapaches. Uno del grupo, Austin Saunders, fue apresado por un escuadrón del KKK.

–¿Qué estás haciendo? –le preguntaron.

–Dejar un cebo para los mapaches –les contestó.

–Te ayudaremos –dijeron, riendo.

Mataron al pobre Austin de un disparo y dejaron su cuerpo en el sendero. Cogieron su última galleta y se la metieron en la boca.

–¡Ya está! ¡Cebo para los mapaches!

155

¿Sabías que?

Algunos racistas tenían tan poca paciencia que no podían esperar a un linchamiento. En Tulsa, Oklahoma, en 1921, un grupo de blancos sobrevolaron unos barrios negros de la ciudad y arrojaron dinamita sobre las casas. Más de mil hogares quedaron destrozados y 75 hombres, mujeres y niños murieron.

Que cesen los linchamientos

¿Qué hizo el gobierno de EEUU para detener los linchamientos? No mucho; eso sí, hablar, hablaron mucho. Cuando varios italianos fueron linchados en Nueva Orleans por entablar amistad con unos negros, el presidente Theodore Roosevelt dijo:

¡Es un crimen despreciable!

Pero escribió a su hermana:

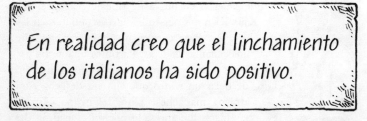

En realidad creo que el linchamiento de los italianos ha sido positivo.

¡No es de extrañar que esto durara tanto tiempo, si los presidentes apoyaban a los criminales!

¿Por fin ha terminado? No del todo. En EEUU la imagen de un dogal sigue siendo un signo despreciable. Toda persona sorprendida amenazando a alguien con un dogal puede ser condenada a diez años de cárcel; pero, con todo, hay quienes hacen caso omiso de la ley. En el año 2000 los negros tuvieron que soportar:

- que les colgaran sogas en la puerta del lugar donde trabajaban.
- que les dibujaran sogas alrededor de las fotografías de sus hijos.
- que blandieran sogas bajo sus narices, al tiempo que les gritaban: «¡Esto es lo que antes os hacíamos!»

El Ku Klux Klan estaría orgulloso de ellos.

En 1963, Martin Luther King, el más famoso de los defensores de los derechos civiles de los afromaericanos, declaró:

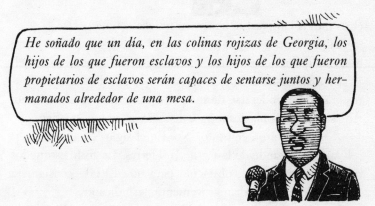

Cinco años más tarde, Martin Luther King fue asesinado. ¿Se cumplirá algún día su sueño?

EPÍLOGO

La historia de EEUU es horrible. Empezó con la destrucción de la población autóctona, los indios, por parte de los norteamericanos para quitarles la tierra.

El general William Tecumesh Sherman del ejército de Estados Unidos era un simplón y tenía una respuesta muy simple para el problema de los indios.

Cuantos más indios matemos este año, menos tendremos que matar el año que viene. Cuantos más indios veo, más convencido estoy de que hay que matarlos.

(Los indios tampoco le tenían en mucha estima.)

El problema no era que ese general cabeza de chorlito dijera eso, sino que muchos norteamericanos estaban de acuerdo con él.

En 1845, estaban convencidos de que su «destino manifiesto» era el de apoderarse de todo el continente norteamericano. Aplastaron a los mexicanos y consiguieron lo que querían.

¿Se contentaron con esto? No. En el siglo XX querían ser: «el país más grande de la faz de la Tierra». Lo malo es que los que representaban un obstáculo para que EEUU consiguiera tal «grandeza» resultaban gravemente perjudicados.

En 1901, EEUU quiso apoderarse de Filipinas. El general Jacob Smith dijo a sus soldados norteamericanos:

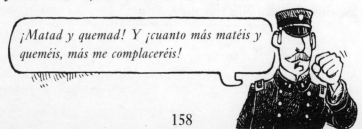

¡Matad y quemad! Y ¡cuanto más matéis y queméis, más me complaceréis!

No quería prisioneros y creía que todo aquel mayor de diez años era susceptible de ser rebelde y, por lo tanto, tenía que pagarlo. Las tropas estadounidenses mataban y quemaban con la excusa de siempre:

En la Segunda Guerra Mundial, los norteamericanos querían terminar la guerra contra Japón, su enemigo. ¿Solución? Una masacre nuclear. Como habría dicho el general Sherman, «a cuantos más japoneses matéis en 1945, menos tendréis que matar en 1946». ¿Mujeres y niños? Lo siento, pero si se interponen en nuestro camino, sufrirán las consecuencias.

En 1968, los soldados estadounidenses, para buscar guerrilleros enemigos, atacaron un poblado vietnamita y mataron a todos los ancianos, mujeres y niños que encontraron. Las tropas estadounidenses llegaron en helicóptero al poblado llamado My Lai 4 y eliminaron a todas las personas que encontraron: 347 mujeres, niños y ancianos, a ningún soldado; nadie que se resistiera. ¡Un combate muy duro! ¿verdad?. Metieron a algunos aldeanos en zanjas y les dispararon. Un fotógrafo del ejército sacó instantáneas de los cadáveres amontonados en las zanjas.

¿Eso no os recuerda algo la masacre de indios de Sand Creek acaecida 104 años antes? ¿O la matanza de la guerra del rey Philip, 200 años antes?

El oficial al mando en My Lai, William Calley, dijo que la matanza «no había sido nada».

La madre de uno de los soldados estadounidenses dijo:

Yo entregué al ejército de EEUU un buen muchacho y me lo han devuelto convertido en un asesino.

Esperemos que los norteamericanos hayan, por fin, aprendido la lección de su historia. Esperemos que en el siglo XXI no haya más Sand Creeks ni más My Lais.

Esperémoslo, pero ¿quién sabe? Al fin y al cabo, la historia ha sido horrible en el pasado. ¿También será horrible en el futuro?